KU-156-348

3 0116 00439 3680

This book is due for return not later than the
last date stamped below, unless recalled sooner.

LONG LOAN
-9 MAY 2007

BACK UP
- 9 JAN 2002

MEDIUM LOAN
- 1 FEB 2002

ASTON UNIVERSITY
LIBRARY SERVICES

WITHDRAWN
FROM STOCK

Dans la collection « Efficacité professionnelle »

Gérard HOFFBECK • Jacques WALTER

Réaliser
une revue
de
presse

**Entreprises • Administrations
Collectivités**

DUNOD

Autres ouvrages des mêmes auteurs

Le Résumé aux concours, Dunod-CNFPT, 1989
Manager les écrits de vos collaborateurs, Dunod, 1991
La Synthèse de dossier aux concours, Sirey-Dalloz, 1994
Prendre des notes vite et bien, Dunod, 2ᵉ édition, 2000

Ce pictogramme mérite une explication. Son objet est d'alerter le lecteur sur la menace que représente pour l'avenir de l'écrit, particulièrement dans le domaine de l'édition technique et universitaire, le développement massif du **photocopillage**.

Le Code de la propriété intellectuelle du 1ᵉʳ juillet 1992 interdit en effet expressément la photocopie à usage collectif sans autorisation des ayants droit. Or, cette pratique s'est généralisée dans les établissements d'enseignement supérieur, provoquant une baisse brutale des achats de livres et de revues, au point que la possibilité même pour les auteurs de créer des œuvres nouvelles et de les faire éditer correctement est aujourd'hui menacée.

Nous rappelons donc que toute reproduction, partielle ou totale, de la présente publication est interdite sans autorisation du Centre français d'exploitation du droit de copie (**CFC**, 20 rue des Grands-Augustins, 75006 Paris).

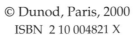
DANGER

LE PHOTOCOPILLAGE
TUE LE LIVRE

© Dunod, Paris, 2000
ISBN 2 10 004821 X

Toute représentation ou reproduction intégrale ou partielle faite sans le consentement de l'auteur ou de ses ayants droit ou ayants cause est illicite selon le Code de la propriété intellectuelle (Art L 122-4) et constitue une contrefaçon réprimée par le Code pénal. • Seules sont autorisées (Art L 122-5) les copies ou reproductions strictement réservées à l'usage privé du copiste et non destinées à une utilisation collective, ainsi que les analyses et courtes citations justifiées par le caractère critique, pédagogique ou d'information de l'œuvre à laquelle elles sont incorporées, sous réserve, toutefois, du respect des dispositions des articles L 122-10 à L 122-12 du même Code, relatives à la reproduction par reprographie.

Table
des matières

Chapitre 3
D'un ensemble documentaire à un document de communication : le projet éditorial

Chapitre 4
Une lecture vigilante pour gagner du temps

Chapitre 5
Sélectionner les informations et construire leur présentation

Chapitre 6
Une forme visuelle efficace et valorisante

Chapitre 7
La revue de presse électronique

Chapitre 8
Évaluer pour améliorer le service rendu

Avant-propos

De 80 à 100 000 en France : des entreprises et des institutions de plus en plus nombreuses se dotent de revues de presse. Dans la majorité des cas, elles consistent en de simples coupures de journaux assemblées à la hâte, sans véritable *projet éditorial.* Or une revue de presse est moins anodine qu'il n'y paraît.

Instrument de communication, elle se situe à la croisée du journalisme et de la documentation. Les points de jonction sont essentiellement constitués par *la sélection et le traitement de l'information.* En outre, souvent destinée à des cadres ou à des décideurs pour leur fournir un panorama de l'actualité, la revue de presse peut avoir une *fonction stratégique* (évaluation de l'image institutionnelle, veille technologique...). Pour ces différentes raisons, réaliser une « bonne » revue de presse nécessite des *compétences* spécifiques et un certain *professionnalisme.*

Précisément, vous avez en main un ouvrage pratique pour *concevoir, réaliser* ou *améliorer* une revue de presse. Fondé sur les résultats d'enquêtes menées dans diverses organisations et sur l'exploitation d'un important corpus, il s'appuie aussi sur l'expérience d'animation de stages sur ce sujet en formation continue.

Le manuel aborde, en particulier, la question des *types de revues de presse* et de la variété des objectifs. Il propose des techniques pour fournir rapidement *un document lisible et informatif* : lecture active, rubriquage, mise en page normée... Des conseils sont encore donnés pour *évaluer* puis modifier l'existant.

Le livre accorde aussi de la place à des préoccupations plus novatrices. Par exemple, il précise les contours du récent *cadre juridique,* souvent ignoré des concepteurs. Et même si les revues de presse sont encore largement diffusées sur un support papier, ce manuel explique comment tirer profit d'Internet et d'Intranet, qui sont appelés à jouer un rôle décisif dans ce domaine.

Chapitre 1
La revue de presse : état des lieux

À la différence d'autres supports de communication utilisés par les organisations (journaux internes, brochures de présentation, films, etc.), la revue de presse ne semble pas avoir fait l'objet d'enquêtes par des consultants ou des spécialistes en sciences sociales. Il est vrai que ce support est souvent perçu comme étant simple et allant de soi. Pourtant, de telles études permettent de mieux connaître les diverses modalités de sa conception et de sa réalisation, ainsi que les caractéristiques des documents produits. C'est pour combler ces lacunes que deux enquêtes exploratoires, fondées sur des questionnaires et des entretiens combinant des aspects quantitatifs et qualitatifs, ont été menées par le Centre de recherche sur les médias[1]. Elles portent sur les pratiques de collectivités territoriales, de services publics, d'entreprises et d'associations. Nous en présentons les principaux résultats, complétés par des observations dans des services de communication ou de documentation, sachant qu'ils méritent des investigations

---

1. Jacques Walter, dir., *Les revues de presse en Moselle*, Centre de recherche sur les médias/Département « Information et communication », Université de Metz, mai 1996.
Vincent Meyer et Jacques Walter dir., *Les conceptions, réalisations et utilisations des revues de presse en Lorraine*, Centre de recherche sur les médias/IUP « Métiers de l'Information et de la Communication de Lorraine », Universités de Metz et Nancy 2, mai 1998.

supplémentaires en raison notamment de la taille des échantillons et de confusions sur ce qu'est une revue de presse[1].

Toutefois, dissipons d'emblée un éventuel malentendu : cet ouvrage a bien une vocation opérationnelle et les données sont donc mises en perspective par rapport à un objectif de création ou d'amélioration de cet outil de communication. Outre la découverte, toujours enrichissante, d'autres façons de faire que les vôtres, ce chapitre ouvre des *questions à se poser* sur le choix de telle ou telle formule, que ce soit *pour concevoir, réaliser ou utiliser* des revues de presse. Dans la suite du livre, vous trouverez un *éventail de réponses adaptables à votre lieu de travail.*

*L*a conception

En ce qui concerne la conception d'une revue de presse, à partir d'une analyse de l'existant, les enquêtes apportent des éclairages sur la coexistence d'un *modèle de base* et de *variantes*. Elles aident aussi à mettre à jour la diversité des *objectifs*, explicites ou implicites, que souhaitent atteindre les concepteurs en promouvant ce support. Enfin, elles examinent la possibilité d'une corrélation entre les caractéristiques des *acteurs ayant pris l'initiative de la création* de la revue et l'orientation qui lui est donnée.

Le modèle de base, le journalisme et les variantes institutionnelles

Dans la majorité des cas, une revue de presse correspond à un modèle de base, c'est-à-dire un *document, paraissant régulièrement,* pour présenter une *collection ordonnée d'articles* qui proviennent de *plusieurs sources.* Ces articles composent un *panorama – plus ou moins complet –* de ce qui a été écrit durant

---

1. Par exemple, dans de petites collectivités territoriales, des répondants confondent la revue de presse avec le bulletin municipal.

une période déterminée *sur une organisation ou une personnalité,* ou encore *sur des sujets intéressant ces dernières* (le terme « panorama » est utilisé par le Centre français d'exploitation du droit de copie, voir p. 33). De fait, cet *instrument de communication* se situe *à la croisée du journalisme et de la documentation.* Les *points de jonction* sont essentiellement constitués *par la sélection et le traitement de l'information.*

Ce modèle de base se distingue de la revue de presse en tant que pratique journalistique[1]. Référons-nous d'abord à la revue de presse la plus populaire, celle que nous pouvons entendre le matin à la radio. Elle se caractérise par le fait qu'elle est « un art du montage[2] » de citations, intégrées au discours d'un journaliste qui, avec son style, produit à son tour un texte personnel et original, comportant des éléments d'analyse. Or, dans les revues de presse institutionnelles, on attend plutôt *une standardisation du document* et un *effacement du concepteur.* La difficulté consiste alors à ne pas diffuser un document qu'on n'a pas envie de lire. Autre point de référence, la revue de presse à la télévision. Généralement programmée le matin, elle constitue un élément du dispositif stratégique de la chaîne concernée pour maintenir ou augmenter son audience. Il s'ensuit un certain nombre de tensions entre les objectifs et la mise en œuvre. Ainsi, une analyse de la revue de presse de France 2 montre-t-elle que si l'objectif est de fournir de l'information, le journaliste et l'animateur proposent aussi un récit plus ou moins fictionnel sur l'information. Ceux-ci incitent à lire la presse, mais ils cherchent également à développer la confiance à l'égard de l'information télévisuelle. Et s'ils peuvent transmettre un savoir sur l'information, ils font en sorte que le téléspectateur demeure au contact de l'univers télévisuel. Du reste, le téléspectateur se voit impliqué dans un jeu autoréférentiel et autopromotionnel des médias[3]. Toutes ces caractéristiques tranchent avec ce

© Dunod – La photocopie non autorisée est un délit.

---

1. Pour un aperçu historique sur la revue de presse en tant que genre journalistique, voir : Jean-François Bazin, *La revue de presse. L'expression au service de l'homme,* Paris, Ed. Chotard, 1971.
2. Françoise Claquin, « La revue de presse : un art du montage », *Langage et Société,* n° 64, juin 1993, p. 43-71.

qui se passe dans les administrations ou les entreprises : les concepteurs de la revue de presse lui assignent un *caractère* plus *opérationnel* comme vous le découvrirez plus loin. Enfin, la presse écrite : quand la revue de presse est présente, c'est davantage dans des publications spécialisées que dans des publications généralistes. Il s'agit souvent d'une « revue des revues » juxtaposant de courts extraits ou des résumés très synthétiques. Sous cet angle, elle s'écarte du commentaire ou de la comparaison entre articles que l'on trouve en règle générale dans les médias audiovisuels. Pour sa part, la revue de presse institutionnelle privilégie la *reproduction d'articles complets*.

Le modèle de base est encore à distinguer de documents approchants réalisés par des entreprises ou des institutions, qui sont autant de variantes. Dans le secteur de la communication institutionnelle, l'expression « revue de presse » sert ainsi à désigner des documents qui diffèrent de celui-ci sur certains aspects, au point d'ailleurs qu'elle est parfois en concurrence avec d'autres appellations. Les différences provoquant des fluctuations d'appellation peuvent tenir à des *facteurs temporels* : nommé « dossier de presse », ce genre de revue se caractérise par sa diffusion ponctuelle en raison de circonstances particulières (grèves dans l'entreprise, changement dans une réglementation…) ; du reste, ce dossier est à distinguer du « dossier de presse » remis à des journalistes. Sous l'étiquette « press-book », la revue de presse a pour fonction de constituer

---

3. Jacques Walter, « La télémorphose du lecteur. Revue de presse, presse revue… et corrigée », p. 132-148, *in* : Jean-Pierre Esquenazi, dir., *La télévision et ses téléspectateurs*, Paris, Ed. L'Harmattan, 1995. Sur la dimension autoréférentielle, on peut aussi se reporter au travail de Pierre Bourdieu qui note que « pour les journalistes, la lecture des journaux est une activité indispensable et la revue de presse est un instrument de travail : pour savoir ce qu'on va dire, il faut savoir ce que ce que les autres ont dit. C'est un des mécanismes à travers lesquels s'engendre l'homogénéité des produits proposés », quand bien même des journalistes tiennent-ils des propos allant en sens contraire (Pierre Bourdieu, *Sur la télévision* suivi de *L'emprise du journalisme*, s.l., Liber Editions, 1996, p. 24).

la mémoire d'une organisation pour une période déterminée (par exemple, un press-book rassemble tous les articles concernant l'action d'un préfet, pour lui être remis lors de son départ). Semblables catégorisations émanant des enquêtés ne sont d'ailleurs pas très éloignées de celles que l'on peut trouver dans des manuels de communication[1]. La singularité peut tenir également à la nature des *sources* utilisées : de rares entreprises ou administrations produisent des revues de presse à partir de sources radiophoniques ou télévisuelles ; rareté encore, lorsqu'il s'agit d'intégrer sur un réseau interne des informations disponibles sur l'Internet. Cependant, cette dernière solution est amenée à se répandre.

Face à cette diversité des pratiques, si vous avez à créer une revue de presse, vous devez donc *déterminer le type de revue de presse qui correspond à votre situation*. Mais, quel que soit votre choix, l'ouvrage vous livrera des conseils s'appliquant à tous les cas de figure (lecture, p. 50 ; sélection de l'information, p. 63 ; mise en forme, p. 77), et vous indiquera comment procéder afin de bâtir un document fondé sur un véritable projet éditorial (p. 41). Celui-ci est notamment sous-tendu par les objectifs que l'on assigne au document.

Les objectifs : entre information et management

À quoi peut servir une revue de presse ? Dans les entretiens que nous avons menés, cinq objectifs principaux sont fréquemment avancés pour expliquer sa création. Ils oscillent entre des préoccupations informatives :

- *être informé de l'essentiel ou de l'actualité* liée aux activités de l'organisation ;
- pouvoir *lire rapidement* cet essentiel ;

et des préoccupations managériales :

- connaître et maîtriser des informations (y compris sur des structures voisines ou concurrentes) pour *orienter ou accélérer*

© Dunod – La photocopie non autorisée est un délit.

1. Tel est le cas, par exemple, dans l'ouvrage de Marie-Hélène Westphalen, *La Communication externe de l'entreprise*, Paris, Dunod, 1997.

des changements (comme mettre au point de nouveaux produits ou de nouvelles procédures) ;

• *manifester des compétences professionnelles* (par exemple, celle des attachés de presse) *ou institutionnelles*, en diffusant des articles à l'interne, mais aussi parfois à l'externe (la reconnaissance par les médias est un puissant instrument de légitimation) ;

• *construire la mémoire* d'une organisation (les revues de presse sont archivées et indexées à l'aide de mots clés).

Plus occasionnellement, sont mis en évidence d'autres objectifs qui n'en sont pas moins importants. Ils peuvent être *d'ordre pratique*, comme diffuser l'information à un coût avantageux par rapport au nombre élevé d'abonnements qui seraient nécessaires. Les objectifs relèvent quelquefois de la *gestion de personnel* : dans une entreprise ayant de nombreuses agences à l'étranger, elle doit permettre aux salariés qui y travaillent ou qui y font escale de maintenir un lien avec la France ; un autre enquêté nous a indiqué que la revue de presse était faite pour que les employés soient évidemment informés de la vie de leur entreprise, mais aussi pour qu'ils ne lisent pas les journaux pendant leurs heures de travail, en particulier les rubriques consacrées à « l'horoscope ou aux résultats sportifs » !

Mais au-delà de ces considérations quelque peu triviales, des responsables insistent sur des *objectifs d'ordre stratégique* : la revue de presse permet d'avoir une vue d'ensemble de l'image de l'entreprise ou de l'administration véhiculée par les médias. Si quelque chose ne va pas dans l'image publique, c'est grâce à la revue de presse que l'on en perçoit l'un des premiers signaux. Ou bien encore dans le cadre d'une évaluation des relations avec la presse, elle permet de vérifier l'exactitude de l'information transmise par les médias et, le cas échéant, de la rectifier. Au demeurant, plusieurs responsables de communication estiment que les journalistes savent qu'ils sont lus avec attention… et en tirent les conclusions lorsqu'ils rédigent. Il s'agit de l'une des facettes de ce que l'on appelle le journalisme de connivence. Enfin, avec le sociologue Patrick Champagne, on notera que la dimension stratégique concerne, outre les dirigeants d'entreprises ou de services publics, une pluralité d'acteurs quand il observe que « la revue de presse risque, parce qu'elle fournit souvent des informations irremplaçables, de faire oublier qu'elle résulte, presque toujours, de stratégies de groupes sociaux visant à mobiliser l'attention des journalistes et à susciter précisément de larges recensions dans les médias. On peut dire, sans forcer l'expression, que le lieu réel où se déroulent aujourd'hui les manifestations est moins la rue que les premières pages des journaux et les écrans de télévision qu'il s'agit d'occuper[1] ».

Si oui, qui ? Si non, pourquoi ?

À qui revient l'initiative de la création d'une revue de presse ? Une fois de plus, la diversité des réponses est de mise. Néanmoins, il est possible de distinguer trois configurations dominantes qui vont de pair avec un positionnement spécifique à l'égard du produit. Et c'est bien ce dernier point qui nous est utile.

Quand c'est un *service de communication ou de documentation* qui a jugé bon de doter le personnel de cet outil à la vue des résultats d'un audit ou quand la naissance de la revue de presse est concomitante à la mise en place d'un poste de chargé de communication, la prise en charge est plutôt professionnalisée (par exemple, cela se traduit par un peu plus d'enquêtes d'évaluation). Dans d'autres cas, l'initiative revient à des *services non spécialisés en communication*, tels des services juridiques, ou à une personne en particulier (adjoint au maire ou cadre) : passée une période de relatif embarras, la revue de presse se stabilise la plupart du temps sous une forme assez simple. Enfin, auprès de certains enquêtés, la question de la création n'obtient pas de véritable réponse, car il n'y a pas de mémoire organisationnelle : ils déclarent simplement *continuer un travail qui préexistait* à leur arrivée. De fait, il y a un risque de s'installer dans une *routine*. Cependant, à y regarder de plus près, ce risque semble partagé. D'après les pointages, la majorité des re-

---

1. Patrick Champagne *et al.*, *Initiation à la pratique sociologique*, Paris, Dunod, 1995, p. 216.

© Dunod – La photocopie non autorisée est un délit.

vues de presse ont été créées dans les années quatre-vingt (67 %), période qui correspond à l'essor des services de communication. D'une façon générale, réaliser des revues de presse ne répond donc pas à une impulsion passagère. Et une fois installées, elles ont tendance à durer, non seulement en raison de leur *intérêt intrinsèque* mais aussi en raison de leur *fonction symbolique*. En effet, elles sont souvent adressées en priorité aux dirigeants et aux cadres qui se verraient mal dépossédés de ce signe de « distinction ». Toutefois, dans certains organismes, la question ne se pose pas puisque les revues de presse n'y existent pas.

Les enquêtes permettent aussi d'en savoir un peu plus sur les raisons de l'absence de ce type de documents. Cela peut tenir à la *représentation* que l'on peut avoir de ce support : dans 24 % des cas, les répondants – en particulier ceux qui travaillent dans des mairies – ne voient pas l'intérêt de la revue de presse en tant que telle. Il peut s'agir d'obstacles dépendant de *contingences techniques* : manque de temps, notamment dans les entreprises (22 %), mais aussi manque de moyens financiers et matériels (16 %), de personnel (16 %). S'il est vrai qu'une revue de presse nécessite des investissements humains et financiers, ces obstacles peuvent être relativisés pour peu qu'une personne ait de réelles compétences en gestion de l'information. Enfin, parmi les raisons avancées pour expliquer l'absence de revue de presse figure le fait que la taille de la structure ne la justifie pas (9 %). Mais, en considérant les objectifs décrits plus haut, est-il bien sûr que la taille d'une commune ou d'une PME soit toujours un critère pertinent ?

Des questions à se poser pour concevoir une revue de presse

Quels sont les supports à utiliser ?
écrit
audio
audiovisuel
Internet et Intranet

➡

Quelle est la part des objectifs informatifs et managériaux ?
informer rapidement
orienter ou accélérer des changements
construire la mémoire d'une organisation
manifester une compétence professionnelle ou institutionnelle
construire et évaluer l'image de l'organisation
évaluer les relations avec la presse
autres
Quels sont les atouts et les obstacles dans la situation de travail ?
demande explicite ou absence d'intérêt
contingences matérielles ou humaines
autres

La réalisation

Tous sites d'investigation confondus, la revue de presse concerne en pratique 46 % de l'échantillon. Si l'on excepte les problèmes liés à la construction et à la représentativité des enquêtes, il semble donc qu'elle soit encore *un outil dont l'utilisation n'est pas généralisée*. De façon un peu plus fine, l'exploitation des réponses montre que l'intérêt ou l'usage varient en fonction des secteurs : en 1996, les collectivités territoriales (61 %) ont été plus nombreuses à répondre que les entreprises (40 %) ; en 1998, le secteur public est davantage producteur de revues de presse (64 %) que les entreprises (26 %). En tout cas, derrière ces revues, il y a évidemment des *réalisateurs* dont la tâche consiste à *sélectionner l'information à partir de sources variées* et à la *mettre en forme*.

Les réalisateurs : profils, compétences, conditions de travail

Correspondez-vous à l'un des profils types pour réaliser une revue de presse ? Contrairement à une idée reçue voulant qu'il s'agisse d'un travail de découpage et de collage confié à de jeu-

© Dunod – La photocopie non autorisée est un délit.

nes personnes récemment arrivées dans le service (20 % ont entre 25 et 30 ans) ou à des collaborateurs en fin de parcours (20 % ont entre 40 et 50 ans), les réalisateurs de revues de presse ont, dans 60 % des cas, une trentaine d'années. Dans le même pourcentage, ce sont des femmes. Cela correspond à une tendance forte : la féminisation des métiers d'information et de communication, sachant que, dans ces métiers, les travaux d'exécution reviennent plus aux femmes qu'aux hommes. Loin de nous l'idée de vouloir renforcer le machisme ambiant. Au contraire, ce manuel ambitionne de montrer que réaliser une revue de presse est autre chose que de pratiquer le couper-coller.

À cet égard, en termes de qualification préalable, nous pouvons distinguer deux grands cas de figure. D'une part, celui des *personnes ayant suivi un cursus en information et communication*. Les chargés de communication qui réalisent une revue de presse sont largement minoritaires (18 %), alors qu'assez souvent ces professionnels ont bénéficié de formations aux techniques journalistiques et à la lecture rapide. Dans les administrations, ce sont des documentalistes diplômés (20 %) qui assurent cette tâche, même si le service de documentation est plutôt rattaché à celui des ressources humaines qu'à celui de la communication. D'autre part, la revue de presse est bien souvent confiée à des *personnes non spécialisées* dans ce domaine : des secrétaires (42 %), en particulier dans les mairies, ou des agents sans spécificité professionnelle affirmée (20 %). Dans l'un et l'autre cas, il ne s'agit pas d'une mission confiée ponctuellement : les répondants exercent en moyenne cette activité depuis six ans. Si la distinction entre les deux groupes est manifeste, il faut cependant relativiser l'éventuel impact des parcours de formation ou des trajectoires professionnelles, puisque joue un savoir-faire acquis au fil de l'expérience. Du reste, l'analyse comparée de la revue d'un service réalisée successivement par une secrétaire, puis par une chargée de communication qui insiste sur son professionnalisme ne montre pas de grandes différences. On se gardera néanmoins de généraliser.

Si l'on veut évaluer les compétences requises pour faire une « bonne » revue de presse, on est rapidement confronté à un paradoxe. Aux yeux des principaux concernés ou de nombre de leurs responsables, la *réalisation d'une revue de presse* semble *rudimentaire* : lecture de la presse, découpage et photocopiage des articles importants, marquage des pages, tampon pour la date, puis surlignage des informations significatives (une responsable d'un service de relations publiques interrogée ne voyait même l'intérêt de la question des compétences puisqu'il s'agit d'un « simple travail de secrétaire que n'importe qui peut faire »). Ce mode opératoire artisanal est commun à la plupart des organisations, quelle que soit leur taille. En fait, il répond à un impératif d'élaboration rapide. Cependant, il met en œuvre des *mécanismes plus complexes*[1] ayant des implications dont les acteurs n'ont pas toujours conscience : réélaboration d'un support, *décontextualisation* et *recontextualisation* des informations sur lesquelles nous reviendrons p. 68. Ce paradoxe pose la question de la perception des compétences. Du point de vue de ceux qui réalisent des revues de presse, les compétences requises sont l'esprit d'analyse et de synthèse, la lecture rapide, l'aptitude à aller à l'essentiel, manier le cutter ou les ciseaux. Ces compétences, peu valorisées, s'acquièrent au fil de l'expérience plus que par un apprentissage méthodique : « C'est comme le tarot, il faut jouer pour bien maîtriser les règles », nous déclarait une chargée de communication. Certes, des organismes proposent des formations à la revue de presse, souvent centrées sur les techniques de lecture des journaux, mais elles ne sont pas très prisées en raison d'une représentation par trop simpliste de cette activité. Il en ira peut-être différemment avec des stages organisés pour apprendre à indexer le contenu des revues de presse sur un réseau interne. Enfin, selon certains responsables de communication, la compétence doit se doubler d'un *plaisir.* L'une d'elle estime qu'il faut que la personne chargée de la revue de presse « aime lire le journal, sinon ce n'est pas la peine qu'elle fasse une revue ».

© Dunod – La photocopie non autorisée est un délit.

---

1. Ces mécanismes ont été bien mis en évidence par Paul Danloy, « La "revue de presse". Ouverture ou enfermement ? », *Communication et Langages*, n° 115, 1ᵉʳ trim., 1998, p. 102-114.

Quoi qu'il en soit, il apparaît que ce sont peut-être moins les profils professionnels qui s'avèrent déterminants pour la réalisation d'une revue que les conditions de travail, de fonctionnement d'un service de communication ou de documentation.

On observe des variations dans *le potentiel des ressources humaines* qui peuvent avoir un impact sur la richesse informative et le rythme de parution du document. Ainsi une revue de presse peut-elle se faire en solitaire ou en équipe. La plupart du temps, il s'agit d'un *travail solitaire* (67 %). Et lorsqu'il y a *travail d'équipe*, celle-ci est rarement composée de plus de trois personnes (27 %) ; en ce cas, les tâches sont partagées (sélection des articles, mise en forme, reproduction, diffusion). L'équipe est parfois plus étoffée (3 à 5 personnes pour 2 % de l'échantillon). Dans un ministère, au sein d'un département d'information et de communication, une équipe est affectée spécifiquement aux revues de presse : trois personnes dépouillent la presse nationale, une autre s'occupe de la presse internationale (un résumé en français est fourni avec chaque article), deux agents sont chargés de la reproduction. Cette équipe a pour tâche de constituer deux fois par jour des dossiers et de diffuser chaque semaine une revue de la presse internationale. Sur le plan de l'investissement temporel, les revues de presse quotidiennes nécessitent, en moyenne, une à deux heures de travail. Le temps passé pour la réalisation des revues ayant une autre périodicité est difficile à quantifier, parce que le travail se fait souvent de façon discontinue.

En ce qui concerne l'*aspect matériel,* un constat s'impose. Les *outils* de base mis à disposition sont vraiment… *basiques* : une paire de ciseaux, de la colle et une photocopieuse (plus ou moins performante). Dans une telle logique artisanale, l'usage de l'ordinateur pour améliorer la mise en page est encore rare. Il est surtout utilisé pour la couverture et le sommaire.

L'équipement est naturellement tributaire du budget. Sur ce point, comme souvent en matière de communication, la discrétion est de règle : nous n'avons obtenu aucune réponse sur l'ampleur du budget, et nous en sommes réduits à des hypothèses. Soit le sujet est effectivement tabou, soit il n'existe pas de budget spécifique pour la revue de presse. Néanmoins, on peut disposer d'indications pour le chiffrage par postes. Le budget comporte le montant des abonnements aux différents journaux, le coût du travail des personnels chargés de la réalisation, les frais de reproduction (papier, photocopies, droits de reproduction).

Combien coûte une revue de presse ?

On se pose rarement la question du coût de la revue de presse, qui se dilue dans la masse des « frais généraux ». Nous avons mené une rapide enquête dans une université. Le document en question est composé de 10 pages en moyenne par numéro, paraît 225 fois par an et 113 personnes le reçoivent.

D'abord intervient évidemment le prix des **abonnements**, soient 8591 F au total (*La Lettre de l'Université* : 850 F, *La Lettre du Monde de l'éducation* : 410 F ; *Le Républicain Lorrain* : 1715 F ; *L'Est Républicain* : 1856 F ; *Le Monde* : 1980 F ; *La Lettre de l'Etudiant* : 1780 F).

Ensuite, nous avons pris en compte les frais de **personnel** : la secrétaire du service de la communication (43,23 F – taux horaire – x 2 heures = 86,46 F), mais aussi la rémunération forfaitaire (30 centimes la page) de la reproduction qui intègre notamment les **droits versés au CFC**.

Le coût des **photocopies** est estimé à 15 centimes l'unité et il vient s'ajouter aux 30 centimes du point précédent. Ce poste revient donc à 0,45 F × 10 (nombre de pages) × 113 (destinataires) × 225 (parutions annuelles) = 114412,50 F.

Le total annuel est de 142457 F. Un numéro revient à 633,14 F et **un exemplaire vaut 5,60 F**. Vous remarquerez qu'il s'agit pratiquement du **prix d'un quotidien**.

Pour des questions de coût et de facilité de réalisation, dans la quasi-totalité des cas (97 %), la revue de presse est reproduite en *intra*. Les imprimeurs se partagent les 3 % restant. La reproduction à l'extérieur concerne les 9 % de notre échantillon dont les *revues de presse sont réalisées par le siège de l'entreprise ou par une société spécialisée*. Cela ne veut d'ailleurs pas dire pour autant qu'il n'y ait jamais de travail sur le site. Par exemple, dans une compagnie d'aviation, la revue de presse est livrée vers 8 h 30. Un membre du service de la communication vérifie sa teneur

© Dunod – La photocopie non autorisée est un délit.

et sa mise en page. Si besoin est, il réorganise la disposition ou rajoute quelques articles qu'il a collectés de son côté. De surcroît, ce service réalise une revue de presse hebdomadaire à partir des publications du secteur. Pourquoi ? Les sociétés spécialisées en revues de presse ne sont bien souvent pas abonnées aux journaux professionnels de leurs clients qui appartiennent à des secteurs d'activités très diversifiés.

Précisons enfin que si les moyens ne sont pas toujours à la hauteur de l'ambition affichée, cela n'empêche pas une recherche de qualité. Ainsi, des entreprises travaillent-elles dans le cadre d'un *processus « qualité »* et la réalisation de la revue de presse peut être concernée. Selon le responsable d'une revue tirée à 1500 exemplaires, « la revue de presse, c'est exactement comme le métier de journaliste. On sait qu'à partir de telle heure les rotatives tournent, parce que le journal doit être dans les kiosques le matin et qu'il doit être impeccable ». Ce processus s'applique à toute la chaîne de production, dont, à la base, la mise à disposition des ressources documentaires pertinentes et la nécessaire sélection des données face à l'opulence informationnelle. Il arrive néanmoins que les choix soient drastiques.

Les sources et la sélection de l'information

Nos enquêtes ont été réalisées en province. Loi de proximité oblige, rien d'étonnant à ce que les sources privilégiées soient alors les journaux de la *presse quotidienne régionale* (27 %), qui peuvent comporter plusieurs éditions. En moyenne, ce sont quatre à cinq publications régionales qui sont dépouillées. Et lorsque la *presse quotidienne nationale* est exploitée (17 %), *Le Monde* est souvent le journal de référence. Pour leur part, les hebdomadaires représentent 12 % du corpus. En fonction du secteur d'activité, les réalisateurs puisent aussi dans la *presse spécialisée*, ce qui explique la forte présence des revues mensuelles ou des magazines : 42 %. Cela étant, le nombre de quotidiens ou d'hebdomadaires nationaux dépend principalement des budgets alloués aux services de documentation. Mais le mouvement plus global de diversification des titres joue également : dans une administration, on est passé de l'exploitation de deux journaux en 1972 à près de soixante-dix aujourd'hui. Remarquons enfin que si le discours ambiant, tant politique qu'économique, comporte souvent les mots « Europe » ou « mondialisation », la *presse internationale* demeure encore le parent pauvre : 2 % (on retrouve ici des entreprises multinationales ou des collectivités proches d'une frontière). Quelques organismes ont recours à d'autres ressources, certes de façon marginale mais qui n'en est pas moins intéressante. Par exemple, dans des services militaires ou préfectoraux, on utilise les *dépêches* de l'AFP qui arrivent sur un terminal. Le travail est donc très proche de celui d'un journaliste. Ailleurs, une *revue de presse* peut être la *source... d'une autre revue de presse*. En effet, dans de grandes entreprises qui diffusent des revues quotidiennes et hebdomadaires, on produit des sélections hebdomadaires pour des cadres, ou des services, qui n'ont pas été destinataires des documents initiaux. Autre cas de figure avec une pratique consistant à *enrichir une revue de presse nationale*. C'est-à-dire que les services régionaux la complètent avec des informations répondant à l'actualité de leur zone géographique. À charge pour les responsables locaux de cibler davantage les préoccupations des lecteurs et de compléter en conséquence. Cette démarche est donc fondée sur la *recherche de la proximité maximale*, sans négliger pour autant l'instance centrale. À cet égard, notons que dans des unités décentralisées de certaines entreprises, on envoie les *revues de presse au siège pour information*. Toujours parmi les opérations de retraitement des revues de presse, dans un conseil général, les revues de presse (quotidiennes et hebdomadaires) servent à confectionner une synthèse hebdomadaire (4 pages, classement par mots clés) pour le président et son cabinet. Sous forme de brèves, avec les références des articles à consulter, le lecteur y retrouve les principales informations et les « petites phrases » de la semaine, les événements importants de la vie locale. Mais tout ne se joue pas à partir de sources écrites : comme nous l'avons signalé, il existe aussi des revues audiovisuelles.

Ainsi, un service de préfecture réalise-t-il une revue à partir *de sources télévisuelles et radiophoniques*. Les heures de passage sont connues grâce aux relations entretenues avec les journalistes.

© Dunod – La photocopie non autorisée est un délit.

Les sujets sont enregistrés et mis bout à bout. Cependant, ce type de revue de presse est contraignant au point que, faute de personnel suffisant, le suivi des passages à la télévision n'est pas toujours correctement assuré. Il est à noter que suivant l'importance de l'organisme, des radios ou des télévisions envoient parfois des cassettes enregistrées. Comme pour les revues de presse sur support papier, certains services réalisent des produits spéciaux à l'occasion d'un événement (en particulier dans le cadre de la communication de crise).

Mais quels sont les principes de sélection des informations ? La proximité et la surveillance stratégique. D'une façon générale, *les réalisateurs décident* des contenus et de leur organisation. Quelle que soit la source, pour sélectionner les articles, ils privilégient encore une fois la *proximité*, dans tous les sens du terme. À titre d'exemple, voici ce que doit rechercher la chargée de la revue de presse d'un maire : les inaugurations ou manifestations auxquelles ce dernier a participé, les comptes rendus des conseils municipaux voisins, les activités des maires des communes proches, les affaires électorales, les activités du district, du conseil général et du conseil régional, tout ce qui peut l'aider à prendre une décision. À l'inverse, elle déclare avoir plus de difficultés à sélectionner les articles dans la presse nationale. Dans le service de presse d'une radio, la recherche et la sélection se fait, pour partie, en fonction des animateurs : chacun d'eux reçoit une pochette contenant les articles le concernant directement. Le choix de la proximité ne règle cependant pas toutes les questions.

Examinons de plus près les modalités et les critères de sélection les plus souvent évoquées dans les enquêtes. Les réalisateurs estiment qu'il faut *bien connaître l'entreprise ou l'administration*, ainsi que *les partenaires ou concurrents*. Pour reprendre le propos d'une documentaliste, cette connaissance « amène à repérer un article qui, *a priori*, n'a rien a voir du tout avec l'entreprise ». Semblable démarche est proche d'une forme de veille stratégique. En outre, la même documentaliste juge que cette sélection peut aussi se faire au *feeling*. Il en va assez souvent ainsi lorsque la revue de presse est destinée à un élu. Cependant, si la sélection est un acte fondamental, il en est un autre – plus rarement pratiqué – qui consiste à hiérarchiser les informations.

Quand ils s'estiment compétents, des réalisateurs ne se privent pas de *mettre en valeur certaines informations* et certains, peu nombreux, classent les articles par ordre décroissant d'importance. Ou bien, comme dans une entreprise sidérurgique, le réalisateur choisit l'article le plus intéressant de la livraison du jour, et il le fait figurer également au dos de la revue de presse. Ailleurs, en l'occurrence dans le service d'un préfet, on met les articles les plus fondamentaux dans la première pochette de la série pour qu'ils soient traités plus spécifiquement. À cet égard, il est patent que des articles peuvent avoir un contenu « explosif » (défaillance technique d'une entreprise, « affaire » à fort retentissement judiciaire, etc.). De plus, des organes de presse se sont spécialisés dans le scandale, le sensationnel ou bien encore dans l'information « dérangeante ». La sélection n'est alors pas sans poser des problèmes. En conséquence, des titres font l'objet d'une attention plus particulière : dans un ministère, *Le Canard enchaîné* est examiné à la loupe, y compris par le ministre. Néanmoins, *la censure d'informations négatives ou critiques* sur l'organisme est refusée par l'immense majorité des enquêtés, qui ont quand même, conscience du poids d'un autocontrôle (comme le disait l'un d'eux, « chacun sait ce qu'il doit faire » et « connaît ses limites »). Des responsables de revues voient même un avantage à la diffusion de telles informations : « Quelque chose de négatif, on doit le corriger, pour rebondir », nous a déclaré l'un d'eux. Néanmoins, certains font parfois preuve de prudence quand des articles sur leur organisation sont très polémiques. Ils procèdent par exemple à une diffusion restreinte à quelques dirigeants particulièrement concernés, sous forme de copies annexées à la revue de presse. Ou bien dans une collectivité, la chargée de communication en parle d'abord au maire afin de décider de la diffusion. Dans de rares cas, il y a donc un contrôle hiérarchique de la production finale qui peut se conclure par une véritable censure, comme en témoignent les propos d'un responsable de communication d'un grand groupe… médiatique : « Les papiers qui donnent une image négative de l'entreprise sont écartés pour ne pas perturber le personnel ».

© Dunod – La photocopie non autorisée est un délit.

Le document : présentation et rythmes de parution

La présentation d'une revue de presse est souvent très simple. Est-ce un inconvénient ? Du point de vue d'une personne interrogée, cela n'est pas gênant parce que « les gens ne s'attendent pas à trouver autre chose ». Décrivons cependant les caractéristiques les plus courantes.

Format et *volume* : en raison notamment du mode de reproduction, les revues de presse sont presque toutes au *format A4*, utilisé à la *verticale*. La fourchette du *nombre de pages* varie considérablement d'un cas à l'autre (en fonction de l'actualité et de la périodicité). Nous avons eu entre les mains une revue de deux pages (petite commune) et une autre qui en comptait plus de cent (ministère) ! La moyenne se situe *autour de la trentaine* de pages pour une revue quotidienne. Il est vrai que des réalisateurs limitent volontairement l'épaisseur de la revue. Ainsi, au vu de la revue de presse de son ministère de tutelle comportant plus de cent pages, le responsable de communication d'un service régional estime que les lecteurs n'ont pas le temps de dépouiller autant de documents (plus que d'être exhaustif, selon lui, « l'essentiel est d'être lu »). Pour relier ces pages, le moyen le plus utilisé est l'*agrafage* ; seuls 16 % des documents sont reliés par un moyen qui les apparente davantage à un magazine (notamment par collage à chaud, baguette ou reliure spirale). À cet égard, on peut remarquer quelques cas particuliers : par exemple, les coupures de presses sont données en vrac dans une mallette au PDG d'une entreprise pour qu'il puisse les lire durant le week-end et classer les articles comme bon lui semble. Ou bien parfois, pour les mêmes raisons, les originaux sont remis sous plastique transparent dans un classeur. À chacun de juger la solution qu'il estime la plus commode, sachant que la commodité ne s'applique pas seulement à la manipulation, mais aussi à l'activité intellectuelle.

Les *éléments d'identification* : la revue de presse comporte des moyens pour permettre au lecteur de se repérer facilement dans le stock d'informations proposées. D'abord, une *couverture*. Une couverture sur deux présente un titre qui n'est pas nécessairement original : assez souvent, les auteurs ont choisi la formule « revue de presse » ; cependant, certains essaient de donner une identité au produit : « Revue des revues », « Vu dans la presse », « Zoom », etc. Toujours dans le souci de personnaliser le document, dans 33 % des cas, le logo de l'organisation figure sur la couverture. Parmi les mentions pourtant indispensables, seule une revue sur deux affiche une date et 16 % la complètent par un numéro d'édition. En ce qui concerne le *sommaire*, 50 % des documents en disposent. Mais, dans certaines entreprises, pour des raisons de rapidité, on diffuse la revue de presse sans son sommaire qui est envoyé ultérieurement ; dans un cas observé, il s'agit d'un travail de documentaliste, au sens où le sommaire comporte le message essentiel de chaque article (issu parfois de journaux en langue étrangère) dont les mots clés servent à l'indexation dans une banque de données.

Entrons maintenant plus avant dans les revues. Parmi les repères utiles, les *numéros de pages* : 66 % des revues de presse sont systématiquement paginés. En revanche, si quasiment toutes les revues de presse disposent de *rubriques*, elles ne sont que 66 % à les mentionner sur chacune des pages. Cependant, reste entière la question de la pertinence de leur choix. Le classement des articles se fait thématiquement (59 %) et/ou chronologiquement (33 %). Le critère de l'importance des articles est rarement pris en compte (4 %). Les pratiques sont-elles tributaires de la nature des organisations ? Tendanciellement, les services publics – mairies en particulier – ont un penchant pour l'ordonnancement thématique. L'association des thèmes et de la chronologie a plutôt les faveurs des entreprises. Toutefois, 4 % des répondants organisent leur document par type de presse ou n'adoptent pas de structuration particulière. La *date de parution des articles* est mentionnée à 100 %. En revanche, les *sources* le sont moins systématiquement (66 %) : on fait confiance à la supposée familiarité du lecteur avec les médias pour les reconnaître ! Il est vrai qu'un nombre non négligeable de revues de presse sont principalement alimentées par un grand quotidien régional, perçu comme étant « le » journal. Quant à la mention du nom de la

© Dunod – La photocopie non autorisée est un délit.

rubrique du journal dans laquelle l'article a été sélectionné, il s'agit d'une pratique plutôt marginale : 16 %.

Passons aux rythmes de parution. Dans la *majorité des cas* (66 %), la revue de presse est *quotidienne* et elle est habituellement disponible dans la matinée (10 h). On veut donc faire circuler rapidement de l'*information fraîche*. Les administrations ont davantage recours aux revues quotidiennes. Au sein des entreprises, on utilise aussi bien les revues de presse quotidiennes qu'hebdomadaires. Et quel que soit le type de structure, on trouve des revues de presse ponctuelles (« press-book » ou « dossier de presse »), en prise avec l'actualité (un événement considéré comme majeur) ou avec une innovation (lancement d'un nouveau produit, mise en place d'un nouveau dispositif, etc.). Cependant, le rythme de parution est parfois lié à la *périodicité des supports de presse* utilisés. Par exemple, dans une mairie, on distribue chaque jour une revue composée à partir des quotidiens, et chaque semaine celle qui est composée à partir d'hebdomadaires. Cette dernière est communiquée au maire et à son cabinet le vendredi pour qu'ils prennent connaissance des articles – souvent longs – pendant le week-end. Les unes et les autres sont complétées, plus ou moins occasionnellement, par des revues de presse thématiques confectionnées sur la base de critères spatiaux, de l'organisation des services (actualité internationale, juridique, financières, etc.), ou encore de manifestations récurrentes (une fête annuelle dont les comptes rendus journalistiques sont exploités pour améliorer celle de l'année suivante).

Pour conclure sur la réalisation, nous nous ferons l'écho des réponses à une question ouverte relative aux *difficultés* rencontrées dans la réalisation. Question à laquelle 17 % des enquêtés ont répondu. Le problème dominant serait… celui du format : réduire ou agrandir une coupure de presse n'est pas toujours aisé, surtout quand on ne dispose pas d'un photocopieur de qualité (ou quand on ne sait peut-être pas en exploiter toutes les possibilités). Ils expriment souvent le fait que leur revue de presse pourrait être de meilleure qualité, mais, pour eux, la solution passe moins par un changement des pratiques que par l'embauche de personnel, ce qui est rarement à l'ordre du jour. En tout état de cause, c'est bien *l'aspect matériel* qui *prédomine* et non la question de la sélection de l'information (de l'augmentation du corpus à la lecture ou au rubriquage) ou bien encore la question de la *réglementation sur le photocopiage*. La question fournit l'occasion de découvrir des solutions expérimentales. Dans une administration, le responsable du service documentation propose une revue de presse composée de résumés personnels d'articles : les agents intéressés empruntent ceux-ci pour en faire des photocopies à titre privé. Ailleurs, pour les mêmes raisons, on diffuse des revues de sommaires, quitte à signaler les articles les plus pertinents que les destinataires n'ont plus qu'à aller lire au centre de documentation. Mais le font-il vraiment ? Si l'on en croit plusieurs responsables de centres de documentation, on peut en douter. Il est temps donc d'aborder l'examen des usages.

© Dunod – La photocopie non autorisée est un délit.

Des questions à se poser pour réaliser une revue de presse

À qui confier la réalisation et avec quels moyens ?
débutant ou personnel expérimenté
personnel spécialisé en information et communication ou non
formation sur le tas ou formation préalable
travail individuel ou en équipe
ressources matérielles et financières mises à disposition
externalisation de tout ou partie de la réalisation

Quelles sources privilégier et comment sélectionner l'information ?
presse quotidienne régionale, nationale, internationale
hebdomadaires et mensuels
publications spécialisées
dispositif de suivi de la radio et de la télévision
critères de sélection de l'information : proximité, surveillance stratégique...
mise en valeur des informations importantes
contrôle hiérarchique ou non, censure ou non

Comment rendre le document performant ?
prise en compte de la maniabilité
moyens de repérage de l'information
rythme adapté aux besoins des utilisateurs

Les usages

Au-delà des logiques de conception et de réalisation, les enquêtes ont cherché à décrire les logiques d'usage. Trois directions principales ont été retenues : l'une consiste à mieux connaître les manières dont les *destinataires* sont pris en compte, notamment par l'entremise des politiques de diffusion arrêtées par les réalisateurs ou leurs responsables ; l'autre s'intéresse aux éventuels dispositifs d'*évaluation* du produit ; la dernière porte sur les *transformations* induites par les résultat de l'évaluation ou sur les transformations prévisibles.

Les destinataires : ciblage et modalités de diffusion

À la différence des journaux institutionnels adressés à tout le personnel, la diffusion est toujours fondée sur un ciblage. Le nombre d'exemplaires diffusés varie évidemment suivant la taille de l'organisme. En moyenne, il est de l'ordre de la trentaine (entreprises et administrations confondues). Cela peut sembler peu, mais il ne faudrait pas oublier que ce type de document, destiné prioritairement à l'encadrement, peut ensuite circuler dans les services. Evidemment de notables exceptions existent : une entreprise sidérurgique comptant 5000 salariés en distribue 1500 exemplaires.

Majoritairement, les revues de presse sont des *documents de communication interne* destinés au personnel qui exerce des responsabilités : chefs de service (66 %) ou cadres (83 %). Les employés ne sont toutefois pas négligés (50 %). Parfois, le ciblage se fait en fonction de *critères géographiques*. Ainsi, de grandes entreprises mettent en circulation des revues de presse au niveau national, régional et local. Celles du niveau national s'adressent à toutes les composantes de l'organisation. En revanche, au niveau régional, les revues de presse sont destinées à certains services en fonction de leur spécificité technique.

Dans une moindre mesure, les revues de presse peuvent être diffusées *à l'extérieur*. Ainsi, pour faire connaître leurs activités à des instances administratives ou politiques importantes, des services publics ou de grandes entreprises les adressent au Conseil régional ou à la Préfecture. Il est vrai aussi, comme le remarque le sociologue Olivier Roubieu à propos des collectivités territoriales, que « la revue de presse est devenue une arme dans les négociations entre les responsables municipaux et les agents des administrations d'État : dans la compétition avec d'autres collectivités pour l'obtention de subventions distribuées avec parcimonie, les "bonnes" revues de presse constituent un atout souvent décisif... Désormais, le personnel politique local – les hauts fonctionnaires communaux comme les élus – semble convaincu que ses interlocuteurs seront plus "sensibles" à ses arguments et à ses revendications s'ils sont publiés dans la presse.[1] » D'où le développement des services de communication (dont l'une des missions est la réalisation d'une revue de presse !) et de pratiques tendant à se concilier l'intérêt bienveillant des journalistes.

En ce qui concerne les modalités de diffusion, les pratiques sont très hétérogènes. D'aucuns tiennent compte du *rang hiérarchique* des destinataires : la revue de presse est sur le bureau du PDG ou du secrétaire général à la première heure. Puis un tirage et une diffusion plus large sont assurés ultérieurement pour le reste des personnes ou du personnel concernés. L'information a donc indéniablement une portée stratégique, mais aussi symbolique. Techniquement, on recourt au *courrier interne* : 50 % des documents sont adressés nominativement à leur destinataire par ce mode. Parfois, *on laisse à chaque destinataire le soin de les faire circuler* auprès de ses collaborateurs, suivant les besoins. La revue est parfois remise dans une chemise avec une *liste de destinataires qui la signent* et rendent le document. Cette pratique vise à éviter la rétention du document par une personne, mais elle peut aussi être perçue comme un contrôle. Dans 33 % des cas, *les revues de presse sont mises à disposition dans un lieu précis* (centre de documentation, secrétariat...), ce qui suppose une part de volontariat de la part du public pour en prendre connaissance.

---

1. Olivier Roubieu, « Le journalisme et le pouvoir local », *Actes de la recherche en sciences sociales*, n° 101-102, mars 1994, p. 87.

© Dunod – La photocopie non autorisée est un délit.

La revue de presse est aussi l'occasion d'un *contact plus direct* entre le service de communication et certains membres de l'organisation. Au siège d'une grande entreprise de transport, la revue de presse doit être remise en main propre aux responsables des services jugés les plus importants : la direction générale, la direction de la communication, la direction de la communication interne et des affaires sociales, la direction des ventes. Dans certaines structures, le responsable de communication va remettre directement la revue de presse quotidienne dans les services pour établir un échange régulier avec les agents.

Au vu de ces conditions de diffusion, il n'est guère surprenant que la revue de presse ne fasse pas l'objet d'une grande publicité auprès du personnel. Toutefois, avec le développement d'une conception « connexionniste » de l'entreprise et la mise en place d'Intranet (qui potentiellement diminue les coûts de reproduction), le sommaire de la revue de presse figure de plus en plus sur des réseaux électroniques. Les lecteurs ont alors la possibilité de consulter les articles dans des lieux de documentation ou encore de consulter les sites des journaux sur le Web (voir p. 101).

L'évaluation : les représentations et les instruments d'enquêtes

Du point de vue des réalisateurs, évaluer systématiquement les usages de la revue de presse par les destinataires ne semble pas une priorité. Pourquoi ? Dans des entretiens avec des responsables de services de communication ou de documentation, certains mettent en avant le fait que le faible nombre d'exemplaires mis en circulation ne le justifie pas. D'autres invoquent les représentations dominantes attachées à la revue de presse, trop souvent considérée comme un simple outil, parmi d'autres, du service de communication ou de documentation. Peu nombreux sont ceux qui pensent que les utilisateurs envisagent la revue de presse comme étant indispensable à l'entreprise ou à l'administration et qui, en conséquence, lui accordent une réelle attention.

Néanmoins, selon 80 % des responsables de communication interrogés, les revues sont très utilisées. Pour les 20 % restant, elles ne sont utilisées que moyennement. Une chose est sûre : on ne trouve pratiquement personne qui estime qu'elles ne servent à rien ! À partir d'investigations sur un site, nous donnerons quand même un exemple qui montre que parfois elles ne servent pas à grand chose. Dans un office de tourisme, la responsable prépare une revue de presse sur les activités locales à partir de 8 h. L'ouverture au public se fait à partir de 9 h, heure à laquelle arrivent les autres membres de l'office. En période d'affluence, ils n'ont pas le temps de prendre connaissance des informations. Résultat : un travail inutile et une mauvaise image pour l'office dont le personnel n'est pas en mesure de bien renseigner les visiteurs. Solution suggérée – non sans malice – par une stagiaire de ce service : venir plus tôt… Il est vrai que cette modification des horaires de travail, susceptible dans bien des cas d'augmenter l'« indice de fraîcheur » de l'information et partant son intérêt pour les lecteurs, est rarement revendiquée par les enquêtés.

Quels sont les instruments d'évaluation dont se dotent les réalisateurs des revues de presse pour en savoir plus sur la réception et l'impact de ces dernières ? Ces instruments sont souvent très empiriques. De l'avis des responsables, le moyen le plus utilisé est *le bouche-à-oreille*. Par exemple, une documentaliste précise que dans son entreprise, « il y a toujours quelqu'un qui a lu le journal avant de venir travailler » et que « s'il manque un article, une heure après la distribution, il peut y avoir un coup de fil pour le signaler ». Au hasard des rencontres, tel ou tel matin, on lui dit que la revue de presse était particulièrement intéressante (mais, il s'agit moins du document que du contenu des articles sélectionnés). Dans une autre entreprise, une documentaliste rapporte que des agents lui communiquent des articles parus dans la presse de province pour les intégrer à sa prochaine revue. Cette sollicitude est interprétée comme un signe de l'intérêt que les agents portent à cet outil de communication.

© Dunod – La photocopie non autorisée est un délit.

L'évaluation des usages se fait parfois dans l'action. C'est-à-dire que la lecture de la revue de presse par des décideurs se matérialise sous forme de demandes complémentaires aux réalisateurs (« suivez spécialement telle affaire ») ou d'ordres donnés à des collaborateurs qui doivent prendre des mesures (par rapport à la justesse d'une information : « faire paraître un démenti » ; par rapport à un problème pratique, en l'occurrence des accidents de la route : « revoir la signalisation sur telle portion de la nationale »). Ce sont là autant d'*indices* de l'exploitation du document.

Dans des services plutôt professionnalisés, on procède quelques fois par *enquêtes systématiques.* Ainsi, une entreprise sidérurgique lance-t-elle tous les deux ans une enquête sur la revue de presse, qui est expédiée à ses 1500 destinataires. À cette occasion, on leur demande de confirmer leur « abonnement ». D'une façon générale, quels sont les principaux enseignements ? Parmi les critiques les plus souvent adressées, revient le *manque d'objectivité* dans la sélection des articles (cela est patent dans des lieux à forte coloration politique, dans des entreprises qui connaissent des conflits sociaux ou des difficultés économiques). Semblables remarques pondèrent les jugements sur l'absence de censure et pourraient évidemment entraîner des changements significatifs, mais nous avons constaté que l'inertie n'est pas un vain mot. En effet, une relative stabilité est de mise, puisque 75 % des enquêtés affirment que leur revue de presse n'a pas changé depuis sa création. Lorsque l'on sait que certaines d'entre elles existent depuis plusieurs décennies, on ne peut que s'interroger sur le poids de la routine. Toutefois, au vu de bilans établis plus ou moins empiriquement, certains réalisateurs modifient leur pratique ou s'apprêtent à le faire.

Les transformations effectives et prévisibles

Parmi les transformations effectives assez souvent mentionnées dans les réponses à nos enquêtes, figure en bonne place la *fréquence de parution* : ainsi passe-t-on d'une revue de presse hebdomadaire à une revue de presse bi-mensuelle, généralement en raison de restrictions budgétaires, ou pour diminuer le nombre de documents dans des organisations proches de la saturation. Dans les collectivités territoriales, se manifeste de plus en plus un souci de *dépassement du cadre strictement local*. Cette tendance se traduit par un dépouillement plus important de la presse nationale et de la presse spécialisée. Enfin, on assiste parfois à un *élargissement de la diffusion* au-delà du cercle des cadres dirigeants.

Au titre des transformations prévisibles, il y a unanimité : les répondants pensent que dans un futur plus ou moins proche, avec le développement des sites mis en place par des journaux sur l'Internet, la *revue de presse* sera *numérique*. Mais, ils estiment aussi que le faible taux d'équipement des services publics ou entreprises françaises en micro-ordinateurs demeurera un obstacle pendant plusieurs années. En la matière, comme le montrent les travaux en sociologie de l'innovation, il convient d'être prudent, tant la diffusion d'une nouvelle technique est imprévisible. En attendant, pour vous aider à vous prononcer sur l'intérêt de ce changement de support, et le cas échéant pour passer à l'acte, reportez-vous au chapitre « La revue de presse électronique », p. 101.

Des questions à se poser sur les usages de la revue de presse

Quels destinataires et comment leur faire parvenir le document ?
destinataires internes et/ou externes
pertinence des critères de diffusion
adaptation des modalités de distribution

Comment évaluer la réception et l'impact ?
bouche à oreille
indices d'utilisation
enquêtes méthodiques

Quelles sont les transformations à engager ?
périodicité
ouverture à l'information internationale et/ ou à l'information plus spécialisée
diffusion à un public plus vaste
recours aux nouvelles technologies de l'information et de la communication

© Dunod – La photocopie non autorisée est un délit.

Chapitre 2
Le cadre juridique

Dans leur grande majorité, les revues de presse sont constituées d'articles préalablement publiés dans des organes de presse. L'utilisation de ces derniers relève donc du respect du droit des auteurs et des éditeurs. Même si les concepteurs de revues de presse méconnaissent largement ce principe, il n'en demeure pas moins fondamental ; de plus, il est au centre d'évolutions récentes et importantes de la législation, qui ont provoqué des incertitudes et parfois des polémiques.

Pour comprendre l'arsenal juridique renforcé depuis peu, il faut commencer par prendre la mesure des ravages – notamment économiques – entraînés par l'existence de moyens techniques qui permettent une reproduction massive, et au moindre coût, de textes existants. C'est ce que l'on appelle, par un néologisme fondé sur un jeu de mot, le « photocopillage ».

Certes, les méfaits du photocopillage ne s'exercent pas que dans le domaine des coupures de journaux et de la revue de presse : de la partition musicale au manuel scolaire, tous les secteurs de l'édition sont touchés, et certains d'entre eux voient même leur survie menacée par la stagnation ou la chute des ventes qui en résultent. On évalue la photocopie d'œuvres protégées à 8 milliards de pages, et ce chiffre croît de 11 % chaque année. Le manque à gagner serait de 1 à 2 milliards de francs. Les entreprises qui moulinent quotidiennement des revues de presse contribuent pour une part importante à ce « trou ». En 1995, 165 000 revues de presse ont été réalisées par 100 000 entreprises ou administrations.

Elles représentent un total de 1,2 milliards de pages, soit deux fois plus qu'en 1992[1]. Même s'il faut relativiser les chiffres : les revues de presse confectionnées dans les entreprises ne constituent vraisemblablement pas plus de 1% du total des photocopies et 10% de la reproduction d'œuvres protégées.

*L*e *Code de la propriété intellectuelle* et la loi du 3 janvier 1995

Et pourtant des dispositions légales protègent les droits des auteurs et des éditeurs. Fondé sur la loi du 11 mars 1957, le *Code de la propriété intellectuelle* date du 1ᵉʳ juillet 1992 ; il a été complété par la loi n° 95-4 du 3 janvier 1995 relative à la gestion collective du droit de reproduction par reprographie.

Le droit d'auteur des journalistes

Le *Code de la propriété intellectuelle* définit le droit d'auteur des journalistes avec une certaine précision et ne le distingue pas de celui des autres créateurs : « L'auteur d'une œuvre de l'esprit jouit sur cette œuvre, du seul fait de sa création, d'un droit de propriété incorporel exclusif et opposable à tous. [...] Les dispositions de la présente loi protègent les droits d'auteurs sur toutes les œuvres de l'esprit, quels qu'en soient le genre, la forme d'expression, le mérite ou la destination[2] ». Mais pour être protégée, l'œuvre du journaliste doit néanmoins porter la marque de la personnalité de l'auteur : l'information brute et purement factuelle (cours de Bourse, publication de communiqués ou de textes officiels...) n'est donc pas concernée ; en revanche, le coup de plume personnel, la structure de l'article, l'originalité du message véhiculé par un dossier ou une illustration entrent dans le champ défini par la loi.

---

1. Résultats d'une enquête menée par la société InfraForce en 1995.
2. Article L. 111-1.

Nous n'entrerons pas dans le détail de ce qui constitue le droit d'auteur du journaliste, son étendue et ses limites[1], dans la mesure où ces informations ne concernent que le journaliste lui-même. En revanche, une disposition importante de ce droit vous intéressera : en échange de son salaire, le journaliste cède ses droits à l'éditeur de presse pour la première publication seulement ; en revanche, après cette première publication, il retrouve ses droits sur son œuvre : dès lors, toute reproduction intégrale ou partielle effectuée sans son consentement ou celui de ses ayants droits est illicite[2], et la photocopie non autorisée représente une véritable contrefaçon.

La faiblesse du Code de la propriété intellectuelle résidait pour une grande part dans la difficulté pratique de respecter et de faire respecter les principes qu'il édicte. Pour pallier cet inconvénient, la loi n° 95-4 du 3 janvier 1995 met en place un dispositif permettant la perception des droits dus par les utilisateurs.

La loi du 3 janvier 1995 et ses conséquences

La loi n° 95-4 du 3 janvier 1995 complète le *Code de la propriété intellectuelle* et renforce la protection des droits d'auteur. Le dispositif consiste dans l'affirmation d'un droit de reproduction par reprographie, donnant lieu à cession légale au profit d'une société de gestion collective appelée à conclure des conventions avec les utilisateurs.

C'est ainsi que le Centre français d'exploitation du droit de copie (CFC)[3] a été amené à jouer un rôle charnière. Organisme agréé par le ministère de la Culture, il est seul habilité à

---

1. Une fiche technique intitulée « les droits d'auteur du journaliste » et due à J.-P. Garnier fait le point sur cette question dans *Le Journaliste*, organe du Syndicat national des journalistes (SNJ), n° 242, 1er trimestre 1997.
2. *Code de la propriété intellectuelle*, article L. 122-4.
3. Centre français d'exploitation du droit de copie, 20 rue des Grands-Augustins, 75006 Paris, tél. : 01 44 07 47 70 – fax : 01 46 34 67 19.

© Dunod – La photocopie non autorisée est un délit.

autoriser la reproduction d'articles de presse ou d'ouvrages par leurs utilisateurs, moyennant une redevance ; une part de cette somme est reversée aux éditeurs et aux auteurs.

La « revue de presse » peut-elle échapper au versement de droits ?

Le principe énoncé précédemment comporte néanmoins quelques exceptions, qui ont été à l'origine de controverses : « Lorsque l'œuvre a été divulguée, l'auteur ne peut interdire les copies ou reproductions à usage privé, les revues de presse[1] ».

Dès lors se pose une double question :

– où s'arrête l'usage privé et où commence l'usage public ? Pouvez-vous considérer qu'une diffusion restreinte, à l'intérieur de l'entreprise et à « un nombre limité de lecteurs » – comme le précise une note en tête de la revue de presse quotidienne d'EDF ne constitue pas véritablement un usage public ? Sur ce point, la réponse du CFC est claire : l'usage privé s'entend d'un usage personnel (non professionnel) ou dans le cadre du cercle de famille.

– ensuite quelle est cette « revue de presse » qui permettrait d'échapper au versement des droits d'auteur ? Il se trouve que sa définition exacte diffère sensiblement de la réalité qui porte le même nom dans les entreprises : en toute rigueur, la « revue de presse » constitue une rubrique journalistique parmi d'autres, utilisée par les journalistes professionnels pour rendre compte à leurs lecteurs de la manière dont d'autres journaux ont traité et analysé l'information du jour. Elle doit donc être réalisée par un organe de presse et suppose la réciprocité : l'organe de presse qui la réalise doit fournir matière à réalisation d'autres revues de presse à partir de ses propres articles. « Elle suppose nécessairement la présentation conjointe et par voie comparative de divers commentaires émanant de journalistes différents et concer-

---

1. *Ibid.*, article L. 122-5.

nant un même thème ou un même événement[1] », et n'a donc rien à voir avec les compilations de photocopies brutes d'articles non commentés qui circulent sous la dénomination de « revue de presse », et qu'il conviendrait plutôt de nommer « panoramas de presse ». En tant que tels, ces derniers tombent bien sous le coup de la législation : sans autorisation, ces copies constituent des contrefaçons qui engagent la responsabilité civile et pénale de ceux qui les réalisent.

Par ailleurs, le fait de ressaisir un texte, extrait d'un ouvrage ou d'une revue, constitue une reproduction également soumise à autorisation. Quant aux documents numérisés et diffusés en réseau (Internet, Intranet), le droit de copie géré par le CFC ne s'applique pour le moment – pour combien de temps ? – qu'aux sorties papier ; mais, malgré les apparences, il n'est pas plus facile de diffuser des panoramas de presse électroniques : dans ce cas, le principe voudrait en effet que l'on demande l'autorisation des ayants droit (auteurs et/ou éditeurs).

En définitive, les documents que vous pouvez photocopier sans payer de droits sont assez limités, notamment dans le domaine qui nous intéresse ici : outre les œuvres du domaine public (70 ans après la mort de l'auteur), ce sont principalement les textes officiels (lois, textes d'application, décisions de jurisprudence, bruts et sans commentaires).

Et si vraiment vous ne souhaitez pas payer de droit de copie et bénéficier du droit gratuit de « courte citation » prévu par l'article L. 122-5 2° et 3° a et b du *Code de la propriété intellectuelle,* vous pourrez toujours :

– faire une revue des sommaires ;

– résumer les articles, en y incluant des citations, toujours brèves. Dans ce cas, la citation de la source et de l'auteur est évidemment obligatoire ; vous veillerez aussi à éviter tout risque de confusion avec l'œuvre et à ne pas dénaturer son sens.

---

1. Arrêt de la Chambre criminelle de la Cour de cassation, 30 janvier 1978.

© Dunod – La photocopie non autorisée est un délit.

*L*e Centre français d'exploitation du droit de copie : un percepteur inévitable

Une unique société de gestion collective

Agréé par arrêté du 23 juillet 1996 du ministère de la Culture, le CFC constitue aujourd'hui l'unique société de gestion collective des droits de reprographie pour la presse et le livre. Regroupant les auteurs, les éditeurs de livres et les éditeurs de presse en une organisation tripartite et égalitaire, le CFC délivre par contrat des autorisations de reproduction par photocopie, perçoit auprès des cocontractants des redevances correspondant aux reproductions qu'ils effectuent et reverse aux auteurs et aux éditeurs une part des sommes perçues. Pour votre information, sachez que les frais de fonctionnement du CFC baissent régulièrement, avec la montée en puissance de l'organisme : en trois ans, ils ont passé de 40 à 30 % des sommes encaissées.

Cette gestion collective est censée simplifier vos démarches et renforcer votre sécurité juridique, puisque les contrats du CFC sont valables pour l'ensemble des auteurs et des éditeurs français et étrangers, sous réserve des publications ne pouvant pas faire l'objet de reproduction, dont il communique la liste au cocontractant.

La situation de monopole accordée au CFC empêche la concurrence avec d'autres organismes de perception : il fixe seul les tarifs… dont l'application peut néanmoins être négociée. Elle interdit aussi la négociation individuelle du droit de reproduction auprès de chaque auteur ou éditeur de chaque article, puisqu'il y a cession tacite des droits par les ayants droit (auteurs et/ou éditeurs) au CFC. Ce rappel est d'ailleurs tout théorique, tant les efforts à déployer seraient démesurés si pareille possibilité existait.

Les modalités pratiques

En contrepartie des autorisations de photocopie qu'il accorde par contrat, le CFC perçoit des redevances.

Une autorisation globale préalable

Si le panorama de presse est diffusé sur support papier, une autorisation préalable et globale suffit. Différents types de contrats sont possibles : certains concernent exclusivement l'enseignement et la formation ou encore les services documentaires et les « copie services » ; d'autres accordent, soit une licence globale, permettant de régler l'ensemble des questions liées à la reprographie dans une entreprise, soit plus spécifiquement la gestion des panoramas de presse.

Conditions à respecter et contraintes

Le droit de photocopie n'est cependant pas illimité : ainsi, un journal ou revue ne peut être copié pour plus de 20 % de son contenu rédactionnel et – comme nous l'avons déjà indiqué – le CFC se réserve le droit de communiquer la liste des documents qui ne peuvent pas être photocopiés.

Par ailleurs, le signataire doit respecter certaines contraintes : sur chaque panorama de presse, il appose la mention de l'autorisation du CFC ainsi que les informations éditoriales concernant l'œuvre reproduite : titre du périodique, titre de l'article, nom éventuel de l'auteur, date de parution.

La contrainte la plus forte consiste dans la fourniture périodique – semestrielle ou annuelle – de relevés identifiant les copies réalisées : ces relevés indiquent le nombre de pages reproduites pour chaque publication et portent, soit sur l'intégralité des copies, soit sur un échantillon représentatif des panoramas de presse réalisés. En outre, le cocontractant s'engage à permettre au CFC de vérifier les informations déclarées.

© Dunod – La photocopie non autorisée est un délit.

La redevance

Les informations prévues au point précédent permettent de définir les sommes dues au titre du doit de copie. Au 1er janvier 1998, le tarif général prévoit les montants suivants (hors taxes) par page A4 :

- de 0,20 F à 0,45 F pour la presse grand public, selon que la diffusion excède ou non 150 000 exemplaires ;
- de 0, 45 F à 0,85 F pour la presse professionnelle (diffusion + ou – 15 000 ex.)
- de 1,90 F à 5,00 F pour certains documents plus pointus (ouvrages scientifiques et techniques à mise à jour périodique, lettres professionnelles à diffusion restreinte, etc.).

Un abattement de 30 % est prévu pour tout panorama de presse. Par ailleurs, un tarif dégressif s'applique en fonction du tirage moyen : s'il est supérieur à 50 exemplaires par numéro, la redevance est réduite de 50 % ; s'il dépasse 250 exemplaires, elle baisse de 70 %.

Un exemple pratique

En 1998, l'entreprise « Foirexpo » réalise trimestriellement un panorama de presse diffusé à 55 destinataires.
Ces 4 panoramas de presse comptabilisent
    12 pages du *Nouvel Observateur*
    10 pages du *Monde*
    5 pages du *Moniteur des ventes*
    4 pages de *La lettre de l'Expansion*
    6 pages des *Echos*
    3 pages de *L'Evénementiel*
L'application du tarif général de redevances par publication donne les chiffres suivants :
    Le Nouvel Observateur : 0,20 FHT $\times$ 12 pages = 2,4
    Le Monde : 0,20 FHT $\times$ 10 = 2
    Le Moniteur des ventes : 0,35 FHT $\times$ 5 pages = 1,75
    La lettre de l'Expansion : 5 FHT par page, mais les reproductions de *La lettre de l'Expansion* ne représentant pas plus de 20 % des pages de chaque panorama et l'entreprise étant abonnée à cette publication, le tarif applicable est celui de la presse professionnelle et culturelle spécialisée, soit 0,85 FHT x 4 = 3.4

➡

➡

> *Les Echos* : 0,35 FHT × 6 = 2,1
> *L'Evénementiel* : 0,85 FHT × 3 = 2,55
> Total : 14,2 FHT
> La redevance brute s'élève à 14,2/40 (pages) : 0,35 FHT. Mais le calcul de la redevance unitaire due par page A4 de reproduction bénéficie de deux abattements :
> – un abattement de 30 % : 0,35 – 30 % = 0,25 FHT
> – un abattement de 50 % (diffusion supérieure à 50 exemplaires) : 0,25 – 50 % = 0,12 FHT.
> En 1998, l'entreprise « Foirexpo » versera donc au CFC : 10 (pages) × 4 (panoramas de presse) × 55 (destinataires) = 2 200 pages × 0,12 FHT = 264 FHT.
> Ici, le chiffre est particulièrement modeste. Mais le CFC indique que pour une très grande entreprise qui réalise un chiffre d'affaires de plusieurs dizaines de milliards de francs, un panorama de presse peut coûter de 100 000 à 150 000 F par an.
> Attention : si en plus des 55 destinataires internes, l'entreprise Foirexpo met son panorama de presse à la disposition du public avec un photocopieur, elle devra aussi payer des droits sur ces copies.
> (*d'après un document CFC*)

Un autre type de contrat est possible : il prévoit un coût forfaitaire par destinataire, indépendamment du nombre de panoramas réalisés chaque année et du nombre de pages pour chacun. La négociation avec le CFC se réalise à partir d'exemples de panoramas de presse réalisés et après estimation du nombre de panoramas effectués dans l'année. Cette procédure paraît plus simple, mais n'est pas indépendante du nombre de produits réalisés et de leur importance.

Il est de toute façon préférable de se regrouper par organismes ou par secteurs d'activité pour négocier les conditions commerciales avec le CFC.

Contrôle et sanctions

Le CFC a des moyens pour faire appliquer la loi : il dispose d'un pouvoir de contrôle, et ses agents assermentés – au nombre de six ou sept en 1999 – sont habilités à venir à l'improviste dans

© Dunod – La photocopie non autorisée est un délit.

une entreprise et à exiger toute information permettant d'évaluer le volume de copies d'œuvres protégées.

Les infractions sont sanctionnées par une amende pouvant se monter jusqu'à un million de francs et/ou une peine de deux ans de prison. Cette sanction est applicable aux personnes physiques et morales (dans ce dernier cas, le montant de l'amende peut même être multiplié par cinq). Mais l'Association des professionnels de l'information et de la documentation (ADBS) fait remarquer dans une de ses plaquettes[1] qu'« à ce jour, aucune condamnation pénale n'a été prononcée », ce que le CFC nous a confirmé à l'automne 1999.

Des polémiques, mais une indéniable montée en puissance du CFC

Au départ, on estimait que le CFC, devenu l'unique guichet légal capable d'accorder une autorisation de reprographie, allait être amené à engranger et à gérer des sommes considérables : certains spécialistes pensaient que ses recettes pourraient être multipliées par 30 en 3 ou 4 ans ! Or cet organisme n'a perçu que 630 000 francs en 1997 au titre des photocopies de presse.

Il faut se rendre à l'évidence : sur les 3 millions d'établissements recensés en France, ceux qui ont signé un contrat avec le CFC ne sont pas encore très nombreux. Face à des sociétés comme la Coface, Cofinoga, la Sagem, Hoechst ou le CNRS (le plus gros payeur), une grande utilisatrice de photocopies comme l'Éducation nationale ainsi que l'Association française des banques (AFB) ont longtemps rechigné à payer.

Le CFC a d'ailleurs décidé de poursuivre l'AFB pour contrefaçon devant le Tribunal de grande instance de Paris en 1997. Pour sa défense, l'AFB faisait valoir en particulier que la distinction entre « revue de presse » et « panorama de presse » n'avait aucun

---

1. *Droit de l'information et droit de copie*, plaquette (octobre 1998) diffusée par l'ADBS, 25 rue Claude Tillier, 75012 Paris (tél. : 01 43 72 25 25 – fax : 01 43 72 30 41).

fondement à ses yeux. Estimant la loi de 1995 difficilement applicable, elle invitait les entreprises à ne pas signer de convention avec le CFC. Un compromis a été trouvé à la veille du procès.

En fait, les sommes encaissées par le CFC au titre des revues de presse sont en augmentation constante : 630 000 francs en 1997, 830 000 Francs en 1998 et... 2 500 000 francs rien que pour le premier trimestre 1999 ! Ces chiffres traduisent une montée en puissance indéniable et une efficacité croissante de l'action de cet organisme.

Les polémiques sont-elles retombées pour autant ? Ce n'est pas sûr. En effet, outre les nombreuses sociétés et administrations qui dans la pratique continuent d'ignorer la loi, les bibliothécaires et les documentalistes ont marqué leur désaccord. En particulier, l'ADBS, qui regroupe 5700 membres – dont 2000 entreprises – est montée au créneau : sans récuser en bloc le principe de la rémunération des copies, elle s'est inquiétée des montants pratiqués. Et surtout, elle a estimé que les conséquences de la réglementation seraient néfastes sur le plan de la circulation de l'information, que l'on ne saurait réduire à la seule dimension économique : comme l'ont constaté les Anglo-saxons, l'accès gratuit à l'information (ou au coût le plus bas) est un garant du développement de la démocratie et de la connaissance ; il est aussi une condition de la compétitivité de l'entreprise.

Ces professionnels ont donc proposé la pratique du *fair use* (usage raisonnable), qui consiste à lutter contre les excès souvent constatés, mais à préserver le droit de libre circulation de l'information, d'autant plus que le principe de la libre circulation des idées est acquis (ce n'est que le texte qui est protégé) : ils ont demandé l'exemption du droit de reproduction sur certaines utilisations traditionnelles de la documentation visant à la circulation interne de l'information.

L'ADBS organise sur ce thème des journées professionnelles au plan national et local ; elle est intervenue aussi auprès du ministère de la Culture pour faire reconnaître ses positions et a souhaité établir avec lui « une concertation entre les professionnels de l'information, les auteurs et les éditeurs pour met-

© Dunod – La photocopie non autorisée est un délit.

tre en place un mode de redevance acceptable[1] ». Et concrètement, elle suggère aux entreprises contactées par le CFC de s'informer auprès d'elle avant toute négociation.

Aujourd'hui, il faut bien reconnaître que la contestation frontale est retombée. Un responsable du CFC fait remarquer que l'ADBS joue un rôle de type syndical, mais que les choses se passent plutôt mieux que par le passé. Et surtout, le CFC adopte une attitude marquée à la fois par la rigueur et par la souplesse pédagogique : si les tarifs ne sont pas négociables en principe, « la construction du tarif peut être adaptée » dans ses modalités d'application : abattements possibles, tarifs dégressifs, échelonnement dans le temps, mutualisation lorsque plusieurs organismes d'une même branche – par exemple l'UFB – souscrivent une licence globale. Dans le même esprit, les contrôleurs semblent jouer d'abord un rôle d'informateurs et le CFC insiste surtout sur l'indispensable sensibilisation : la loi existe, et il n'est pas question de ne pas l'appliquer ; cela dit, on est bien conscient qu'un important effort pédagogique s'impose pour en convaincre les entreprises et les administrations ! Et les résultats sont là : l'imposante forteresse de l'Éducation nationale a rendu les armes.

Les principaux points concernant les démarches juridiques

La loi protège le droit d'auteur
des journalistes et les intérêts des éditeurs de presse

Les types de documents exonérés de droits sont très peu nombreux
Le Centre français d'exploitation du droit de copie (CFC)
est le seul organisme agréé pour autoriser la reproduction d'articles de presse moyennant le versement d'une redevance

Informations et formulaires peuvent être obtenus auprès du CFC
20, rue des Grands-Augustins, 75006 Paris
Tél. : 01 44 07 47 70 Fax : 01 46 34 67 19

L'association des professionnels de l'information et de la documentation (ADBS)
25, rue Claude Tillier, 75012 Paris
Tél. : 01 43 72 25 25 Fax : 01 43 72 30 41
se tient également à votre disposition pour vous conseiller.

---

1. Plaquette déjà citée.

Chapitre 3
D'un ensemble documentaire à un document de communication : le projet éditorial

Vous disposez désormais d'un tableau descriptif des représentations et des pratiques en matière de revues de presse, ainsi que des contraintes juridiques à respecter. Et vous avez à n'en point douter l'ambition de réaliser un excellent produit. D'où une nouvelle interrogation : dans quel cadre situer la problématique d'une revue de presse réussie ? Il semble qu'elle s'inscrit dans l'écart – et donc la tension possible – entre l'ensemble *documentaire brut* qu'elle constitue la plupart du temps, et le *document de communication* qu'elle pourrait devenir. Cette évolution est possible, au moindre coût en argent et en temps, avec un peu de réflexion et de méthode. Ces dernières doivent déboucher sur la mise au point d'un *projet éditorial* qui servira de guide, tant dans la phase de création que dans celle d'un réaménagement de l'existant.

De l'ensemble documentaire brut...

Vous savez à quoi ressemblent beaucoup de revues de presse, puisque nous en avons déjà livré un aperçu dans le premier chapitre. Mais, dans les développements qui suivent, nous al-

lons introduire une dimension plus évaluative. Elle peut paraître comme trop sévère. Pourtant, objectivement, les *défauts*
sont légion. De surcroît, nous montrerons que les *objections* possibles visant à expliquer ceux-ci, sinon à les justifier, ne résistent
guère à quelques recommandations de bon sens.

Les défauts majeurs

En caricaturant à peine et en additionnant les erreurs que nous
avons rencontrées dans nombre de documents produits par
des entreprises et des administrations[1], nous dirons que trop
souvent une revue de presse c'est :
- un paquet de *photocopies réalisées dans l'urgence*, et donc sans
  véritable soin : articles mal cadrés, photocopieuse parfois
  mal réglée produisant des copies trop sombres ou trop clai-
  res, parfois rassemblées dans une (ou plusieurs) chemise(s)
  souple(s) ne portant aucune indication ;
- des reproductions d'*articles choisis* de manière, sinon aléatoire, mais en tout cas *sans véritable sélection ni hiérarchisation*.
  Ce qui veut dire qu'il y a souvent abondance de matière
  brute : de crainte d'en mettre trop peu, on en rajoute sans se
  demander si c'est utile ou non. De surcroît, cette matière
  informative n'est pas construite : les reproductions d'articles
  se suivent sans que l'on comprenne toujours quelle est la
  logique qui a présidé à leur organisation ;
- une documentation brute à un autre titre encore parce que
  l'*émetteur* du document en est étrangement *absent*. Des photocopies, encore des photocopies, rien que des photocopies !
  Aucune parole n'est adressée au destinataire, que ce soit
  pour expliquer ou commenter un choix, pour reformuler
  synthétiquement le contenu d'un article ou indiquer la pertinence d'un regroupement de textes.

---

1. Pour chacun des points que nous allons évoquer, nous disposons
   d'exemples précis. On comprendra que nous ne les citions pas
   nommément ici.

Nous exagérons ? Certes, toutes les revues de presse ne comportent pas la totalité de ces défauts. Toutefois, si vous en réalisez une, il serait bien étonnant que vous ne vous soyez pas reconnu dans l'une ou l'autre des caractéristiques évoquées à l'instant.

Des objections qui ne tiennent pas

Vous objecterez peut-être alors que pour faire autre chose ou faire mieux, il faudrait disposer d'un temps que vous n'avez pas. C'est vrai pour certains points. Mais est-ce vraiment insurmontable que de prendre quelques secondes supplémentaires afin de bien centrer l'article avant d'appuyer sur la touche « copie », ou même de le coller sur une feuille blanche pour éviter de retrouver sur le résultat les traces du capot de la machine ? Est-il plus long de découper l'article pertinent que de le photocopier noyé au milieu de plusieurs autres et de l'identifier alors avec un marqueur fluorescent à l'intention du destinataire ? Et plutôt que d'utiliser des chemises anonymes, est-il difficile de mettre en place une fois pour toutes une pochette pré-imprimée et néanmoins actualisable au moyen des procédés simples que vous trouverez p. 78 et 82 ?

En fait, tout se passe comme si, dans l'esprit de son réalisateur, la revue de presse n'était pas dotée en tant que telle du statut de véritable document de communication. Là est le nœud du problème. Le travail de communication a été réalisé en amont par des journalistes et d'aucuns s'imaginent que les bribes de ce travail, reprises dans la revue de presse, bénéficieraient comme par magie ou par contagion des qualités de la mise en forme antérieure et qu'ils seraient donc dispensés d'un nouvel effort en ce domaine. Du reste, la forme n'est pas franchement dissociable du fond. Le professionnalisme s'impose donc.

© Dunod – La photocopie non autorisée est un délit.

▪▪▪ au document de communication fondé sur un projet éditorial

Sans prétendre transformer la revue de presse en un véritable journal – on verra p. 96 l'exemple peu probant d'une recherche excessive en ce sens –, le concepteur de ce type de document devrait prioritairement garder présentes à l'esprit les préoccupations de tout communicateur, c'est-à-dire la mise au point d'un *projet éditorial donnant de la cohérence au produit.* Pour y parvenir, encore faut-il maîtriser plusieurs paramètres importants dont on a déjà commencé à se faire l'écho grâce aux résultats des enquêtes. Du reste, ce sont les réponses aux questions récapitulées dans les encadrés sur la conception (p. 8), la réalisation (p. 21) et les usages (p. 27) qui constituent la trame du projet. Obtenir ces réponses suppose donc la mise en œuvre d'investigations préalables qui permettent de mieux *connaître votre public* et de faire vos *choix relatifs au fond et à la forme* de la revue de presse.

Les attentes des utilisateurs, les habitudes de lecture

On l'a souligné, les objectifs d'une revue de presse se situent généralement à l'intersection d'une vision stratégique de cadres dirigeants et des besoins des lecteurs potentiels. Afin de les découvrir et d'arrêter une ligne de conduite, vous avez plusieurs outils à votre disposition (sur les méthodes et techniques d'enquête, voir le chapitre consacré à l'évaluation, p. 109). C'est bien souvent la taille de l'organisme qui vous fera pencher pour l'un ou l'autre, ou encore pour leur combinaison.

Dans une petite entreprise ou collectivité locale, lancer une enquête par questionnaire n'a guère de pertinence, des entretiens suffisent. Il en va autrement si le nombre d'utilisateurs est important. En ce cas, avec les décideurs, ce sera souvent l'entretien individuel qui primera. Découvrir les attentes d'un lectorat plus vaste se fera plutôt en recourant à un questionnaire assez court adressé à un échantillon représentatif, panachant questions ouvertes (« À quoi vous servirait une revue de presse ? ») et fermées ou à choix multiples (« Pour vous, la revue de presse doit avant tout être centrée sur l'actualité dans :

- la ville,
- le district,
- le département,
- la région »).

Les résultats de ces investigations permettent de mieux spécifier les *objectifs* de la revue, objectifs qui, rappelons-le, relèvent – dans des proportions variables d'un lieu à l'autre – de logiques informatives et managériales (voir p. 5). En outre, sur de telles bases, le concepteur et/ou réalisateur du document sera en mesure d'apporter des réponses aux questions qu'il se pose et de déterminer ses priorités : à quoi doit servir l'information fournie ? À informer certes, mais sur quoi prioritairement : sur l'actualité immédiate, sur la manière dont on parle de l'entreprise dans la presse ? À clarifier des questions complexes plus étendues dans le temps ? À donner les moyens d'agir en connaissance de cause ? À établir ou à entretenir des liens à l'intérieur de la société et/ou avec des partenaires extérieurs ? etc.

Ces moyens d'investigation sont également précieux pour cerner les habitudes de lecture des utilisateurs. Connaître ces dernières permet de prévoir une maquette adaptée aux usages probables du document. En effet, d'un côté, vous obtenez des indications sur le fond : par exemple, votre projet pourra intégrer le fait que la majorité des lecteurs est familiarisée avec les textes juridiques et que la reproduction d'un article commentant une jurisprudence n'est pas rédhibitoire ; dans le cas contraire, vous savez que vous aurez à privilégier des articles de vulgarisation. D'un autre côté, le questionnement touche à des aspects plus formels : si votre lectorat est composé de personnes attirées par la dimension iconique, vous avez tout intérêt à ne pas négliger la reproduction de photographies ou de dessins. Bref, un projet éditorial ne recouvre pas que des orientations politiques, mais aussi des décisions de nature technique.

© Dunod – La photocopie non autorisée est un délit.

Les choix techniques

De fait, un projet éditorial se concrétise notamment par le choix d'une périodicité, d'une pagination et de rubriques.

La *périodicité* dépendra en particulier des objectifs et de la nature des informations dominantes que vous avez à donner. Si elles sont très liées à une actualité ponctuelle et rapidement périssable, optez pour une périodicité rapprochée ; dans les autres cas, vous pourrez espacer davantage les parutions. En ce qui concerne le *nombre de pages*, il est bien entendu tributaire de la richesse des sources tout comme des moyens financiers dont vous disposez.

Enfin, le *rubricage* : le choix des rubriques est fondamental, car ce sont elles qui constituent l'armature apparente de la revue de presse. Et ce, tant pour le lecteur qui en a besoin afin d'exploiter au mieux le document dans un temps généralement restreint que pour le réalisateur qui se doit de sélectionner et de hiérarchiser l'information en fonction des objectifs qui ont été déterminés. Dans la mesure où on ne peut pas tout dire ni accorder la même importance à tout ce qu'on dit, il lui faut choisir les informations et, dans la mesure du possible, assurer des liens entre elles.

Sur ces points, les conseils méthodologiques vous sont proposés dans le chapitre « Sélectionner les informations et construire leur présentation » (p. 63).

Élaborer un projet suppose également de répondre à des questions sur la forme. Ces questions sont d'autant plus importantes que l'*approche* du lecteur d'un quotidien ou d'un hebdomadaire reste *prioritairement visuelle* : il est d'abord sensible à une forme globale, qui stimule son intérêt sans pour autant le désarçonner au point qu'il ne veuille plus entrer dans le document. Il ne s'agit donc pas tant de l'écriture – même s'il peut s'agir aussi de cela, y compris dans une revue de presse –, que de l'architecture d'ensemble : comment donner à mon lecteur envie d'exploiter ce que je lui propose ? Ou encore quelles aides visuelles peuvent faciliter un accès rapide à l'information que contient la revue de presse ?

Le traitement des réponses a un effet en cascade : fort des données recueillies, vous pourrez d'abord mettre au point un *prototype* ou un numéro zéro ; puis vous aurez soin de *tester* et de *réviser* cette maquette. Afin d'approfondir ces aspects, vous disposerez d'indications dans le chapitre « Une forme visuelle efficace et valorisante » (p. 77).

Les réponses à toutes ces questions se font aussi en tenant compte des *contingences matérielles* du lieu d'exercice : budget alloué, matériel de reproduction disponible, etc. Elles doivent encore tenir compte des *compétences* du personnel ayant en charge la revue de presse, avec le souci de fournir un document de qualité.

Reprenons l'exemple de la presse : un journal fera autorité par rapport à d'autres parce qu'il s'est doté d'un réseau d'informateurs plus dense, d'envoyés spéciaux plus nombreux, etc.

Toute proportion gardée, pour la revue de presse, on retrouvera une situation voisine : comment se donner les moyens de la qualité ? Comment gagner du temps en lisant plus efficacement ? Et, dans certains cas, n'est-il pas utile de recourir aux aides extérieures qui existent, telles des agences spécialisées ? Tel est l'objet du chapitre « Une lecture vigilante pour gagner du temps » (p. 49).

Pour finir, quelques conseils pratiques : *formalisez les grands axes du projet éditorial* dans un document qui servira de référence pour vos collaborateurs ou de mémoire lorsqu'il sera question de faire un bilan.

Dès la phase de lancement du produit, prévoyez le moment où vous vous engagerez dans une *procédure d'évaluation* (par exemple, après six mois de fonctionnement) afin d'améliorer la qualité de la revue de presse en vous appuyant sur des remarques faites par les utilisateurs (voir p. 109).

© Dunod – La photocopie non autorisée est un délit.

Des questions complémentaires à se poser pour bâtir un projet éditorial

Rappel : pour les questions relatives à la *conception* de la revue de presse, reportez-vous à la page 8 ; pour les questions liées à la *réalisation*, c'est l'encadré de la page 21 qui vous sera utile ; pour l'examen des *usages* potentiels, vous trouverez un choix de questions page 27.

Quels sont les moyens d'investigation les plus adaptés à la situation de travail ?
entretiens individuels avec les dirigeants
enquête par questionnaire pour un public large

À quoi être attentif pour mieux connaître ses lecteurs ?
journaux lus habituellement (→ sources d'information à privilégier)
temps de lecture possible en situation professionnelle (→ pagination)
intérêt porté à une revue de presse (→ objectifs)
thèmes souhaités (→ rubriques)

Comment valider un projet éditorial ?
formaliser le projet par écrit
tester un numéro zéro
ajuster le produit
prévoir une évaluation

Chapitre 4
Une lecture vigilante pour gagner du temps

Pas de bonne revue de presse sans information de qualité. Pour cela, un travail de documentation préparatoire s'impose, ainsi que la maîtrise des techniques de lecture active. Mais sachez aussi que vous devrez adapter ces dernières aux exigences spécifiques de votre travail.

Il faudra que vous connaissiez le champ des *sources documentaires utiles* : la mise en place d'une revue de presse et de son « projet éditorial » s'accompagne de la recherche des titres de quotidiens, d'hebdomadaires, de revues et de magazines spécialisés susceptibles de contenir des informations utiles à vos destinataires. Si vous souhaitez « ratisser » le plus large possible, sans avoir la possibilité d'acheter ou de faire acheter tous les journaux intéressants, il existe des organismes spécialisés[1], qui se chargent de répertorier un maximum de textes qui gravitent autour de vos préoccupations. Un autre moyen consiste à solliciter les bonnes volontés : « N'hésitez pas à nous commu-

---

1. Parmi ces agences, on retiendra l'Argus de la Presse, qui propose des formules diversifiées de revues de presse réalisées à partir d'un très important corpus de publications (130, rue du Mont-Cenis 75881 Paris Cedex 10). Depuis peu, une nouvelle société, l'Argus de l'Audiovisuel, assure la pige des principales radios et télévisions françaises (même adresse). On peut encore retenir Presse + (8, rue Petit 92110 Clichy). En ce qui concerne les sociétés spécialisées en revues de presse électroniques, voir p. 105.

niquer les coupures de presse concernant l'activité de votre division ou service afin que nous puissions les faire figurer dans notre prochain *press-book*. » Certes moins coûteux que le précédent et justifié notamment dans les organismes dispersés géographiquement, le procédé reste aléatoire, sans doute autant que d'attendre la réaction spontanée de collègues pour vous fournir des articles destinés au journal interne. Comme pour ce dernier, la meilleure solution consistera à mettre en place un petit réseau de correspondants chargés de transmettre les informations pertinentes.

Ensuite, la *maîtrise des techniques de lecture* active est importante. Il existe des formations à la lecture rapide, qui permettent notamment de doubler – au moins – votre vitesse de lecture initiale. Si vous avez la possibilité d'en suivre une, votre efficacité y gagnera sans doute. Elles n'en sont pas indispensables pour autant : d'abord parce que la lecture intégrale d'un article s'impose rarement pour la confection de la revue de presse, ensuite parce que l'important pour vous sera d'utiliser le plus rationnellement possible les techniques empiriques de lecture « en diagonale » que tout un chacun pratique. Et ici, c'est la vigilance pour identifier les informations importantes et les articles pertinents qui s'imposera, plus que la lecture rapide en tant que telle. Le présent chapitre donne les techniques adaptées à cet objectif.

*L*a première condition de l'efficacité : un cadre contraignant

Pour bien lire, il faut avoir un objectif précis et travailler dans un temps limité.

Un objectif précis : le lecteur qui lit sans rien chercher… ne trouve rien ! La lecture « comme ça, pour voir » reste stérile ; mais l'information intéressante se donne à celui qui la cherche, et qui la cherche parce qu'elle s'intègre dans un projet réfléchi. Sur ce point, le concepteur d'une revue de presse dispose d'un avantage certain par rapport à la plupart des lecteurs de n'importe quel journal : ses objectifs documentaires sont déterminés par son « projet éditorial ». Une aide précieuse… à condition de la garder présente à l'esprit pendant tout le temps de lecture.

Un temps limité : une lecture qui s'éternise est habituellement peu rentable – sauf plaisir particulier ou besoin de tuer le temps. L'expérience prouve qu'il est possible de lire fructueusement un journal aussi riche que *Libération* en 20 minutes, à condition de considérer cette opération comme un véritable travail et de s'astreindre à respecter le cadre temporel préalablement défini. Là encore, vous partez avec un avantage indéniable, surtout si la revue de presse quotidienne doit être sur le bureau du directeur à 9 heures ; mais c'est vrai aussi pour des documents à périodicité plus large : on n'a jamais que cela à faire !

*F*euilleter les journaux : la vigilance s'impose

Le secret de l'efficacité réside dans une approche résolument minimaliste de la lecture. Evitez de trop lire, et surtout fuyez la linéarité que nous avons apprise à l'école : commencer par le premier mot de la première phrase, lire du début à la fin sans jamais rien sauter… Pour le lecteur actif, le texte documentaire n'est pas une succession de lignes mais une banque de données, et il convient de l'aborder comme une surface pour aller plus rapidement à l'information, là où elle se trouve.

La première opération de lecture consiste à feuilleter rapidement les journaux ou revues et à cocher un certain nombre d'articles potentiellement intéressants. Une chance : le journal est élaboré de manière à favoriser ce mode d'exploitation. Mais encore faut-il que le lecteur sache utiliser ces aides de manière optimale, en évitant en particulier de tomber dans quelques pièges qui l'amèneraient à passer trop de temps sur autre chose que ce dont il a strictement besoin.

© Dunod – La photocopie non autorisée est un délit.

Vous disposez de trois types d'aides, qui vous seront données par tout ce qui, dans le journal ou le texte, frappe immédiatement les yeux. C'est ce que nous nommerons ici les aspérités du texte :

Première aide : l'*architecture d'ensemble du journal*. Elle se matérialise notamment par la présence de rubriques : véritable colonne vertébrale du support de presse, *les rubriques* constituent des points de repère fixes et rassurants dans une actualité changeante, et donc potentiellement un peu « déstabilisante » pour le lecteur. Elles reflètent le projet éditorial, et il n'y a rien d'étonnant à ce que l'international occupe les premières pages du *Monde*, et inversement à ce que la multiplication des rubriques locales constitue le plus clair du menu des quotidiens régionaux. Le simple examen des rubriques permet de définir rapidement les choix du support. Par ailleurs, elles se trouvent toujours à la même place : avec un peu d'habitude, elles vous aideront à aller vite aux types d'informations qui vous intéressent, d'autant plus que leur mention figure en « titre courant », la plupart du temps en tête de page.

Le sommaire reflète et complète les indications données par le rubriquage. Dans certains cas, il est sélectif et ne renvoie qu'aux articles jugés les plus importants par la rédaction. Plus complet et plus systématique ailleurs, il continue cependant de refléter les choix de hiérarchisation des informations du journal (la plupart des hebdomadaires). Par ailleurs, il peut exister des sommaires partiels ou complets, en tête d'une rubrique ou d'un dossier. Dans tous les cas, la présence de ces tables des matières est d'autant plus précieuse que les titres des articles sont informatifs et que leur annonce est parfois accompagnée d'un rappel de leur message essentiel (voir p. 66). Enfin, un hebdomadaire comme *L'Expansion* accompagne son sommaire de la liste des principales entreprises citées dans le numéro avec l'indication de la page : pratique pour faciliter le repérage, mais hélas limité à 30 ou 35 grands organismes !

Une précaution importante : n'oubliez jamais que le journal sélectionne les informations (il en garde certaines et en élimine d'autres) et les hiérarchise (il en valorise certaines au détriment d'autres) en fonction de sa propre ligne éditoriale, qui ne correspond que rarement à la logique de votre propre besoin en informations. C'est une des raisons pour lesquelles vous élaborez votre revue de presse à partir de plusieurs journaux ; c'est aussi pourquoi il faudra éviter de vous laisser piéger par les informations mises en avant dans la construction du support de presse : il se peut qu'une brève apparemment anodine ait plus de prix pour vous que des articles mis en valeur.

La deuxième aide est constituée par les *titres* des articles. Dans la presse, ils sont habituellement informatifs, c'est-à-dire constitués d'un thème et d'un prédicat : or l'ensemble thème (= ce dont on parle) + prédicat (= ce qu'on dit du sujet) constitue l'unité élémentaire de l'information. Souvent organisés autour d'un verbe d'action (les auxiliaires être et avoir étant habituellement sous-entendus), les titres journalistiques sont dynamiques et indiquent normalement le message le plus important que souhaite délivrer le rédacteur :

« Le gouvernement américain tente d'éviter la cartellisation du secteur aérien[1] » ;

« Les syndicats de la CNP partagés sur la privatisation partielle ».

Dans une brève, les titres peuvent manquer. À ce moment-là, les premiers mots du texte sont souvent composés en gras : ces mots clés constituent des indices importants, mais ne comportent pas toujours l'ensemble thème + prédicat qui informe vraiment ; il faudra alors poursuivre la lecture un peu plus avant pour identifier ce dont il s'agit :

"ENSO/STORA : la Commission européenne a ouvert une enquête approfondie sur la fusion" [etc. en maigre] : ce début, imprimé en gras, informe ;

tel n'est pas le cas des premiers mots de cette autre brève : "SIEMENS : le géant allemand de l'électronique" [etc. en maigre].

Les *sous-titres* – que les professionnels appellent aussi *accroches*, surtout s'ils sont un peu longs[2] – prolongent et précisent

---

1. Cet exemple et ceux qui suivent sont tirés du *Monde* daté 2-3 août 1998.
2. Sur la notion d'accroche, ses ressemblances et différences avec le chapeau, voir p. 57-58.

© Dunod – La photocopie non autorisée est un délit.

l'information donnée dans le titre. Ce sont donc encore des « aspérités » précieuses à prendre immédiatement en compte, comme en témoigne l'exemple suivant :

« Les taux tombent à un niveau historique en Europe »

L'optimisme règne sur les marchés obligataires européens en raison de l'afflux de liquidités et de l'éloignement des craintes inflationnistes. En revanche, les cambistes japonais broient du noir. Le yen a un nouvel accès de faiblesse

Ensuite, ce sont les *intertitres* qui frapperont peut-être votre regard. Mais, attention au piège que représentent parfois ces aspérités d'un genre un peu spécial ! En effet, contrairement à ce que croient parfois les lecteurs, leur rôle n'est pas de structurer les parties ou sous-parties du texte : ils sont là pour créer un stimulus visuel qui vient éclairer la grisaille monotone du texte ; c'est pourquoi leur place est dictée par des impératifs de mise en page et non par des exigences logiques. Par ailleurs, ils ont pour fonction d'inciter le lecteur à poursuivre sa lecture : ils n'indiquent donc pas nécessairement l'information la plus importante des paragraphes qui suivent, mais représentent plutôt une espèce d'hameçon, d'autant plus efficacement incitatif que la formulation est très elliptique, ce qui invite à lire plus loin pour trouver l'explication. Prudence donc devant ces faux amis, risquant de vous entraîner à lire beaucoup plus que ce dont vous avez besoin.

Une consolation quand même : votre corpus sera souvent composé de revues spécialisées. Or on constate que ces supports ont tendance à fonctionner sur le modèle de textes plus classiques ; le titrage et l'intertitrage s'y apparentent au fonctionnement de documents administratifs ou universitaires.

La troisième aide vous sera fournie par la répartition des textes en différents *genres journalistiques*. Toujours dans le souci d'éviter la monotonie, les journaux multiplient des types d'articles différents, qui ne se situent pas au même niveau, n'ont pas le même statut ni la même importance, tout en se complétant souvent : ainsi, une information pourra être fournie dans un article de fond, analysée dans un commentaire et même donner matière à l'éditorial, qui est le lieu où la rédaction du journal s'engage et donne son opinion ; un papier d'ambiance, voire une interview, pourront s'y rajouter.

Le lecteur non initié peut se perdre dans l'apparent désordre de cette variété ; pour vous au contraire, elle constituera une aide, dans la mesure où vous aurez compris que chaque texte répond à un objectif précis et différent des autres : l'article de fond informe, le commentaire ou l'éditorial explique et évalue, le portait ou le papier d'ambiance répond à la nécessité de développer l'intérêt humain du sujet. Vous en tiendrez donc compte pour organiser votre propre sélection et votre parcours de lecture.

Ici, l'aide visuelle est apportée par les différences de présentation typographique qui soulignent le statut particulier des articles et qui demeurent constantes d'un numéro à l'autre. Soyez attentif aussi à la présence éventuelle de signatures, notamment pour l'éditorial, mais pas seulement pour lui.

Après avoir feuilleté les journaux de votre corpus en vous fondant sur ce que nous avons appelé les aspérités, vous allez exploiter les articles que vous avez cochés. Il s'agira maintenant :

• d'y trouver la présence d'une information précise que vous cherchez, par exemple la mention de votre organisme, le nom d'une personne précise, celui du patron de l'entreprise ou d'un partenaire commercial, etc… Pour cela, vous pratiquerez une lecture de *repérage*.

• d'évaluer l'intérêt réel de tel article et de déterminer si vous le conservez – ou pas – dans votre revue de presse. Vous utiliserez alors la technique de *l'écrémage*.

Le repérage au service de la recherche d'une information particulière

Le repérage consiste à trouver rapidement dans un texte une information – ou un type d'information – contenu dans celui-ci. Il se révèlera particulièrement utile pour identifier les occur-

© Dunod – La photocopie non autorisée est un délit.

rences d'un mot clé (par exemple le nom de votre entreprise) dans un article.

C'est donc une technique bien adaptée à l'esprit de la revue de presse classique, à l'affût de toutes les mentions de l'institution.

Pour bien pratiquer le repérage, on a intérêt à :

- *préciser le plus exactement possible l'objet de sa recherche* : le mot « chômage » par exemple est plus facile à repérer que tout ce qui concerne « les problèmes sociaux actuels » ;

- *s'appuyer sur une « clé visuelle* : elle permet d'identifier rapidement la présence du mot ou de la notion dans le texte par sa forme. Parfois, cette clé devra être « mentale » : si vous cherchez dans un article tout ce qui concerne le logement des handicapés, il faudra être attentif non seulement au mot « logement », mais aussi à « maison », « habitation », « appartement », « équipement », « aménagement », etc. ;

- *pratiquer un balayage – c'est-à-dire un parcours oculaire – vertical ou diagonal aussi ouvert que possible,* en contrôlant strictement le mouvement des yeux de manière à éviter la « panique oculaire ». Vous y parviendrez en subdivisant le parcours de la page en zones que vous aborderez méthodiquement. Vous maintiendrez un bon niveau d'alerte, sans tension excessive, mais aussi sans relâchement ;

- *éviter de se laisser distraire par autre chose* que l'objet de la recherche. En particulier, il faut veiller à très peu lire : cochez simplement les occurrences de la notion recherchée.

*É*valuer rapidement le contenu d'un article : l'écrémage

Pour construire une bonne revue de presse, la lecture intégrale des articles est inutile et d'ailleurs impossible pour des raisons de temps.

En revanche, l'écrémage constitue une technique de lecture sélective qui permet d'aller vite à l'essentiel, aux informations nouvelles, importantes et intéressantes dans un texte dont on ne connaît pas le contenu, mais dont un premier survol a permis de cerner les caractéristiques.

Cette technique s'avère profitable chaque fois que vous aurez besoin d'entrer plus avant dans un article, soit pour décider si vous le conservez ou pas, soit pour en isoler un passage particulièrement important, soit encore dans tous les cas où vous souhaitez donner une trace de son message essentiel ou des informations plus particulièrement utiles à votre destinataire sous une forme rédigée.

Comment vous y prendre ?

Vous vous appuierez évidemment sur les *aides visuelles* évoquées plus haut, mais vous les compléterez par l'attention portée aux *extrémités du texte*.

N'oubliez pas que nous restons toujours dans la même logique, où l'important est d'échapper à la structure linéaire du texte pour le transformer en une surface que vous pourrez parcourir dans tous les sens pour y identifier rapidement les informations pertinentes.

Un principe de base : dans un texte – n'importe quel texte – les informations les plus importantes figurent au début et/ou à la fin.

À la fin, plutôt dans les textes classiques, de type oratoire, universitaire ou encore administratif.

Du point de vue du rédacteur, cette démarche consiste le plus souvent à indiquer le cadre de référence au début, à partir d'éléments historiques jugées indispensables et à adopter un parcours régi par la « règle » dite de l'intérêt croissant : surtout ne pas dire trop de choses importantes tout de suite, ne serait-ce que parce qu'il faut commencer par poser des fondations sérieuses.

Et comment le lecteur lirait-il jusqu'au bout si on lui donnait trop rapidement le point d'arrivée du raisonnement ? D'où la préoccupation d'une soigneuse gradation : on part du plus simple ou du plus banal, pour arriver aux informations ou aux idées les plus originales, les plus fortes à la fin du texte.

Sans toujours rejeter en bloc la démarche précédente, le mode de présentation journalistique préfère donner la plus grande part de l'information utile au lecteur dès le début.

© Dunod – La photocopie non autorisée est un délit.

Il s'agit d'éviter au lecteur toute perte de temps, et on lui donne donc l'essentiel, dans le titre déjà, mais de manière plus substantielle dans le *chapeau* ou dans l'*accroche* qui tient lieu de très court chapeau dans beaucoup de journaux.

L'accroche ressemble plutôt à un long sous-titre (voir plus haut), alors que le chapeau – que les journalistes écrivent souvent « *chapô* » – est constitué par un véritable paragraphe ; c'est indiscutablement du texte, même si le corps et la force typographiques changent, de même parfois que la justification ; ce paragraphe donne, sous une forme très synthétique, le « message essentiel » de l'article : une aide bien précieuse pour le lecteur !

Dans le même esprit, le journaliste n'aime pas beaucoup les présentations de type chronologique, où l'on part du début pour parvenir à la fin du texte à l'état actuel de la question : tout simplement, parce que cet aboutissement représente, la plupart du temps, ce qui intéressera le plus le lecteur.

Le journaliste part donc de l'actualité et remonte vers le passé, autant que nécessaire pour éclairer la situation présente. De même, il indique les axes principaux avant de donner les détails, les conclusions ou les décisions avant leur argumentation, les réponses avant leur justification.

La démarche journalistique porte le nom familier de « pyramide inversée », pour suggérer que l'essentiel est donné au début, et que l'intérêt du texte est censé diminuer à mesure que l'on avance. Tout cela par opposition au plan traditionnel, où le socle de la pyramide représente la conclusion riche et substantielle à laquelle on finit par parvenir.

Mais n'oubliez jamais que cette opposition est un peu schématique, et que les deux modes de structuration ne s'opposent jamais aussi fortement que nous venons de le suggérer : ainsi, après avoir donné le message essentiel dans le chapeau, rien n'interdit au rédacteur de suivre une démarche beaucoup plus classique si la logique de son propos l'exige.

Par ailleurs, la « pointe » de la pyramide inversée n'existe guère dans la pratique : souvent, le journaliste termine par le « verrouillage », qui consiste à fermer son texte sur un rappel – total ou plus souvent partiel – de son message essentiel.

Pour vous, une seule conclusion s'impose : dans l'approche des articles, privilégiez les extrémités : le début certes, au nom du principe de la pyramide inversée, mais aussi la fin. Et n'oubliez pas que ce qui est vrai de l'ensemble du texte est valable aussi pour ses subdivisions : ainsi, on a plus de chance de trouver des informations intéressantes en début et fin de paragraphe par exemple.

Un survol idéal du texte pourrait donc consister à passer du début à la fin du texte, du début à la fin des sous-parties, du début à la fin des différents paragraphes...

Vous pourrez enrichir ce survol de la manière suivante : complétez-le par un *bilan précis* des informations utiles auxquelles vous pouvez vous attendre, *anticipez* celles-ci les au moyen de *deux ou trois questions* que vous posez explicitement et auxquelles vous chercherez une réponse.

Reprenez alors le texte et *balayez-le méthodiquement* en utilisant une diagonale plus ou moins ouverte, qui peut devenir horizontale sur les passages les plus intéressants.

Vous serez particulièrement sensibles aux indices que représentent les *aspérités typographiques*, les *mots outils logiques* et vous chercherez à identifier les *phrases clés*, qui portent ou résument le sens.

Comme nous l'avons déjà indiqué, vous privilégierez la lecture des *débuts et fins de paragraphes*, avec balayage rapide du milieu.

En fin de parcours, *faites le bilan* et décidez de l'usage de l'article.

© Dunod – La photocopie non autorisée est un délit.

Rappel illustré et commenté des principaux termes liés à l'« habillage » journalistique

---

Exemple :
L'Expansion, 30 mars 2000

La rubrique : elle constitue un balisage fixe et fait partie de l'architecture globale du journal. En principe, elle comporte plusieurs articles.

Le surtitre plante le décor (ou apporte parfois une information complémentaire).

Le titre, qui peut être informatif ou incitatif (ici il appartient aux deux catégories).

L'accroche ou le **chapeau** (ou **chapô**, dans le langage des journalistes) : la première est plus courte que le second, mais ils jouent globalement un rôle identique : formuler le message essentiel de l'article.

Les intertitres, habituellement incitatifs.

La légende de photo, qui fonctionne ici comme un véritable **encadré** et qui balise le parcours indiqué par le surtitre. Pareil encadré peut aussi se gérer sous forme de **fenêtre** – ou **relance** – dans le texte, où il s'apparente alors à un long intertitre. Souvent, la légende est moins développée, mais son rôle reste toujours le même : donner envie de lire, en principe par une information concrète.

rubrique

FINANCE

surtitre

chapeau

Axa, Total, Michelin : les leçons des tempêtes médiatiques

Patrons, apprenez à demander pardon

titre

Analyse. Pour préserver l'image de son groupe, un dirigeant doit non seulement tout dire, mais aussi prendre de vitesse les médias et savoir s'excuser... L'opinion publique compte autant que les actionnaires. Valeur montante : l'humilité.

V endredi 18 février. Le « 20 heures » de TF1 s'ouvre sur le visage de Claude Bébéar, le tout-puissant patron d'Axa. A peine de retour des Etats-Unis, il déclare que sa compagnie d'assurances renonce à doubler les primes des rentes à vie pour les enfants handicapés. Une crise sans précédent. L'affront est d'autant plus cinglant pour Claude Bébéar qu'il estimait avoir bâti le groupe sur une base éthique solide. Deux mois auparavant, même secousse pour le président de Total, Thierry Desmarest qui avait cru échapper à la responsabilité morale de son groupe dans la catastrophe de l'*Erika*. Une erreur de jugement commise dans d'autres circonstances par le jeune Edouard Michelin. Son groupe avait choisi d'annoncer aux marchés financiers d'excellents résultats semestriels et... 7 500 suppressions d'emplois, le même jour. Effet profitable sur l'action – qui bondit de 12 % en vingt-quatre heures –, mais désastreux sur l'image.

A bas les arguments techniques, juridiques ou économiques ! Nos grands patrons, archirodés à la communication financière, capables de s'exprimer sans faute devant des parterres d'analystes, d'enchaîner à travers le monde *road show* sur *road show* sans faiblir, ont fini par oublier qu'ils devaient aussi répondre de leurs actes devant la société civile, l'assemblée générale de... leurs clients. Car, lorsqu'une tempête médiatique s'abat sur une entreprise, le b.a.-ba est simple : il faut être proche des gens.

« La règle d'or, c'est l'humi-

JANVIER 2000 **AXA ET LES HANDICAPÉS**

légende

L'Humanité révèle qu'Axa va multiplier les primes des produits rente-survie destinés aux enfants handicapés. L'assureur donne des arguments techniques pour expliquer sa décision. Deux jours plus tard le groupe de Claude Bébéar présente ses excuses aux parents.

lité, la solidarité. Il faut que l'entreprise ait conscience qu'il se passe quelque chose de très grave », souligne Jean-Christophe Moreau, comanager chez Shandwick, un cabinet de conseil en communication. Habituées à l'exposition médiatique, les entreprises publiques comme EDF, France Télécom et la SNCF ont su, elles, trouver rapidement les mots lors des tempêtes de décembre. « Chez EDF, il y a une conscience de la notion de crise plus ancienne due à la hantise d'un accident nucléaire. Surtout, il n'y a pas de starisation du management. Les réactions sont donc normales », poursuit-il.

« Techniquement raison mais humainement tort »

intertitre

Sortir d'une crise n'est pas facile, mais, une fois la déferlante passée, les entreprises concernées en ont tiré les enseignements. « La première chose que j'ai découverte, c'est que l'argumentation objective ne passe pas, et la réalité des faits non plus », analyse à froid Françoise Colloc'h, directrice de la com-

munication d'Axa. Ensuite, il faut mesurer l'impact de la crise auprès de l'opinion. Axa a ainsi fait réaliser une enquête pour mesurer l'étendue des dégâts. Sans trop de dommages, apparemment : 20 % des sondés ont estimé que l'assureur était dans son tort, mais 60 % lui font confiance pour résoudre le problème. Il sera réglé un mois plus tard, par un accord avec l'Unapei, regroupant des associations d'handicapés. Enfin, mettre en place les procédures pour éviter que le cauchemar ne recommence. Axa a lancé un audit sur les contrats collectifs hérités de l'UAP. « Nous avons décidé d'en accélérer l'analyse pour voir s'il n'y a pas d'autres feux qui couvent », confirme Françoise Colloc'h. Parallèlement, nous allons mettre une étiquette rouge sur tous les contrats concernant la prévoyance et la solidarité... »

Chez Total, en revanche, l'impact sur l'image a été plus lourd. Michel Delaporte, directeur de la communication, reconnaît que le groupe « peut-être pas su faire passer l'émotion qu'il fallait. Rétrospectivement, si on avait su qu'il y aurait une marée noire de cette ampleur, on aurait plus rapidement mis de côté le discours juridique, et on se serait exprimé avec plus de compassion. » A l'inverse, au risque d'apparaître comme coupable, le Groupe Axa a présenté ses excuses à une heure de grande écoute. « Nous en avons ressenti le besoin, car si techniquement nous avons eu raison, humainement nous avons eu tort. »

En fait, il faut toujours pré-

Des questions à se poser pour aborder les sources documentaires

Où trouver les ressources documentaires ?
presse généraliste, quotidienne ou périodique
publications spécialisées
organismes spécialisés
ressources internes

Tirer profit des contraintes de production ?
adapter son travail aux objectifs
s'adapter au temps disponible

À quoi être attentif en feuilletant les journaux ?
Ce qui frappe le regard :
l'architecture d'ensemble du journal
le sommaire
les titres
les sous titres ou accroches
le chapeau
la variété des genres journalistiques
les variations typographiques et la continuités des procédés

Comment repérer une information particulière ?
définir exactement l'information cherchée
mettre en place une clé visuelle ou mentale
éviter la panique visuelle et les distractions

Comment aller à l'essentiel ?
privilégier les extrémités
écrémer l'article en posant les bonnes questions

Chapitre 5
Sélectionner les informations
et construire leur présentation

La raison d'être de la revue de presse est de donner une information de qualité à son destinataire. Une évidence mais qui ne s'accompagne malheureusement pas toujours d'effet, en particulier lorsque le réalisateur n'a pas un sens affiné de ce qu'est une information.

Nous partirons ici des quatre critères majeurs qui définissent cette qualité, et qui peuvent s'organiser selon deux axes complémentaires. Une bonne information est :

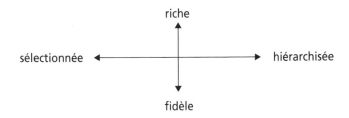

*U*ne information riche

La richesse de l'information dépend elle-même de quatre facteurs :

Passer de l'inconnu au connu pour un destinataire donné

La vocation de l'information est… d'apprendre quelque chose au destinataire. Le rappel de cette définition – triviale – vous sera utile en particulier lorsque vous déterminerez les objectifs de votre revue de presse que nous avons analysés plus haut. Au fond, que souhaitez-vous « apprendre » à votre lecteur ?

- *des faits concernant l'entreprise elle-même ?* Dans ce cas, il s'agira sans doute d'une revue destinée à un public très large (et non pas seulement l'équipe dirigeante, qui possède souvent ces informations depuis longtemps). De plus, la reproduction du même communiqué publié sous la même forme dans différents supports n'apportera aucune valeur ajoutée : il suffira de le donner une seule fois (en précisant éventuellement les titres des journaux qui l'ont repris ainsi que la place qu'elle occupe dans le journal) ;

- *des informations sur la manière dont la communication de l'entreprise fonctionne et/ou sur la façon dont les médias parlent d'elle ?* C'est la raison d'être habituelle d'une revue de presse destinée à l'encadrement. Il faudra alors prendre des précautions plus particulières, évoquées plus bas à propos de la fidélité de l'information (voir p. 68)

- *des informations sur la concurrence, les innovations* susceptibles de vous intéresser ? Dans ce cas, il faudra élargir le champ de vos investigations, ne pas vous cantonner par exemple à la presse régionale. Le recours à des agences spécialisées se révélera peut-être indispensable (voir p. 49).

La présence d'un thème et d'un prédicat

D'un point de vue strictement technique, une information suppose la présence d'un *thème* (le sujet dont on parle) et d'un *prédicat* (ce que l'on dit du thème). Nous avons déjà évoqué ces deux notions dans le chapitre consacré à la lecture. « Le dollar » (thème) n'est pas une information tant qu'il demeure isolé ; en revanche, l'affirmation « le dollar monte » comporte bien un prédicat, et donne donc une information. L'ensemble

« thème + prédicat » n'est pas lié à une structure grammaticale précise, du type « sujet-verbe-complément », puisqu'il s'agit d'une structure de sens : on retrouve en effet la même information dans la formulation « Hausse du dollar ».

Cette notion vous sera utile :
- chaque fois que vous aurez à formuler vous-même les informations, notamment dans les revues de presse rédigées ;
- dans l'établissement du sommaire (voir p. 89), où elle vous aidera à évaluer la précision informative des titres, et donc éventuellement ce qu'il faudra leur ajouter pour que le lecteur dispose immédiatement d'une véritable information ;
- dans le même esprit, certaines « revues de revues » diffusées par un centre de documentation gagneraient souvent à ne pas se contenter de reprendre le titre d'un article, mais à donner une information précise – même si celle-ci n'épuise évidemment pas l'ensemble du contenu dudit article. Prenons trois exemples tirés d'une « lettre d'information périodique » diffusée par le service documentation d'une Caisse régionale d'assurance maladie :

Premier exemple

« Au sommaire des revues de septembre 1999 : le fluor après la ménopause, les missions du service médical de l'assurance maladie, le revenu minimum d'insertion et la santé (etc.). ». Ici, l'information est purement thématique. À vous donc d'aller consulter le service doc pour qu'il vous éclaire !

Deuxième exemple

« Services sociaux administratifs : des améliorations sensibles pour les séjours d'enfants ». Oui, mais quelles améliorations ? Ici, le prédicat n'est pas assez informatif.

Troisième exemple

« Les carences des modes de garde des enfants. En 1990, un enfant de moins de 5 ans sur cinq bénéficie d'un mode de garde organisé. Pas assez de crèches, des files d'attente qui sont souvent de 6 à 10 mois, des aides financières mal connues, des structures souvent inadaptées : un système loin d'être satisfaisant ». Cette information est précise et peut donner envie d'aller consulter l'article.

© Dunod – La photocopie non autorisée est un délit.

Une précision pour ce cas : le développement plus ou moins détaillé de l'information constitue souvent une façon privilégiée de hiérarchiser les informations.

Donner le message essentiel _trouvé dans_

Certaines informations paraissent plus importantes que d'autres, au point qu'on estime spontanément qu'elles constituent le message à faire passer. La formalisation de cette intuition apparaît déjà dans le titre, mais surtout dans le chapeau d'un article, qui résume en deux ou trois phrases – reliées logiquement entre elles – les informations principales que le lecteur devrait retenir. Cette notion vous sera utile :

– _dans les revues de presse sélectives,_ qui ne reproduisent pas l'intégralité des articles : vous vous attacherez alors plus particulièrement au chapeau et à tel extrait de l'article qui l'illustre ;

– _dans les revues de presse rédigées_ : le message essentiel que vous élaborerez peut être différent du message d'origine, à condition bien évidemment que votre objectif ne soit pas la fidélité à l'original (voir p. 68), mais la réponse à un besoin documentaire précis. C'est d'ailleurs une des justifications principales de ce type de revue de presse.

Donner du sens aux faits

Une information pertinente est constituée d'un fait et du sens qui lui est affecté. En soi, le fait brut peut constituer une information, mais il arrive souvent que celle-ci soit pauvre : « l'entreprise X lance trois produits nouveaux » ; le fait devient intéressant dès lors qu'il prend une signification, qui peut être produite par :

– _une explication_ : « parce qu'une étude de marché a montré qu'il existait des créneaux dans les domaines concernés » ;

– _une mise en relation_ : « l'an dernier, l'entreprise X n'a mis aucun produit nouveau sur le marché... » ;

- *l'intégration à une argumentation* explicite : « c'est la preuve que l'entreprise X prend un nouveau départ ».

Cette précaution vous sera utile :

- dans la sélection et la mise en valeur de certains articles, notamment les *commentaires et les éditoriaux*, dont la vocation spécifique est de donner du sens à l'actualité ;
- pour guider et gérer les regroupements d'articles, en fonction des éclairages croisés qu'ils permettent ; dans ce cas, la rédaction d'une transition entre deux articles peut y contribuer fortement. C'est ainsi que dans les *Vues de presse* réalisées par un organisme de mutualité sociale, il aurait été été utile de relier explicitement l'information 1 (*Liaisons Sociales*) et l'information 2 (*Le Monde*), pour mettre en relief la spécificité française par rapport aux États-Unis, mais pas par rapport aux autres pays développés :

---

35 *heures*

Présentant son projet de seconde loi 35 heures devant la commission des Affaires sociales de l'Assemblée nationale, Martine Aubry a estimé que celui-ci réalisait un bon équilibre entre loi et négociation. De larges améliorations seraient tout de même encore possibles. Ainsi, les durées maximales de travail pourraient être revues à la baisse. Les entreprises passant aux 32 heures devraient bénéficier d'avantages supplémentaires. La Ministre ne semble pas prête à remettre en cause le décompte en jours concernant les cadres en affirmant que nombreux sont ceux qui ne souhaitent pas voir leurs horaires de travail contrôlés. La loi ne devrait pas aller plus loin en ce qui concerne la définition du temps de travail effectif et des inspecteurs du travail sont chargés de faire des propositions concernant le contrôle des durées de travail. (*Liaisons Sociales*, 09.09.99)
Alors que l'ensemble des pays industrialisés a tendance à réduire le nombre d'heures de travail, y inclus le Japon où la diminution a été de plus de 10 % ces dernières années, les États-Unis connaissent une augmentation. En 1997, la moyenne américaine était de de 1966 heures annuelles contre 1656 en France et 1399 en Suède, pays européen où la durée du travail est la plus faible (*Le Monde*, 07.09.99).[1]

---

1. Extrait de *Vues de presse*, MSA Alsace, 24.9.99

© Dunod – La photocopie non autorisée est un délit.

ASTON UNIVERSITY
LIBRARY & INFORMATION SERVICES

– lorsque vous rédigerez une *synthèse* : donner du sens, en fonction des besoins spécifiques de l'organisme pour lequel vous travaillez, représente la deuxième grande justification de l'intervention écrite personnelle du réalisateur de la revue de presse.

*U*ne information fidèle

L'information fidèle est difficile à obtenir, souvent en raison des contraintes structurelles analysées par Paul Danloy[1].

La fidélité est importante pour les informations dénotées, données au premier degré, qui concernent des *faits bruts* que l'on souhaite communiquer au lecteur ; mais la question se pose plus encore pour les informations connotées, qui renvoient au *retentissement* et à l'*évaluation* de l'image donnée de l'entreprise dans les médias. Dans ce cas en particulier, il faudra veiller à respecter une double fidélité.

La fidélité au texte publié

Cette fidélité doit s'exercer dans toutes les dimensions du texte en question : certaines modifications couramment pratiquées dans la confection d'une revue de presse sont « mutilantes », selon l'expression de P. Danloy : une réduction significative du format pour faire tenir la copie sur un feuillet A4 affecte la lisibilité de l'article ; le découpage et la recomposition modifient sa perception ; par ailleurs, les amputations de toute nature ne sont pas dépourvues de signification, qu'il s'agisse de la suppression d'un appel en première page ou de la suppression d'une illustration – au prétexte qu'elle prend trop de place ou qu'elle sortira mal à la reprographie.

---

1. Paul Danloy, « La "revue de presse". Ouverture ou enfermement ? », *Communication et langages*, n° 115, 1er trim. 1998, p. 104-114.

Dans ce cas, les précautions à prendre sont assez simples :

– éviter au maximum les coupures pratiquées au nom de l'économie : fixez les règles à appliquer, notamment en matière de respect de l'iconographie ou du format d'origine pour les articles les plus importants ; pour les articles simplement factuels, ce respect sera moins impératif. Cela pourra se faire au moyen d'un cahier des charges dans une entreprise importante ; pour les autres, il suffira de mettre les conventions par écrit au terme, par exemple, d'une réunion définissant le projet éditorial et les contours de la revue de presse ;

– lorsqu'on modifie la présentation du texte d'origine, indiquer succinctement les changements (taux de réduction, modification de la mise en page, suppression d'une ou de plusieurs illustrations…).

La fidélité au contexte

Par définition, la revue de presse est constituée d'« extraits » de presse, donc nécessairement coupés de leur contexte. Or nous savons que l'impression du lecteur n'est pas produite par un texte particulier, mais par l'ensemble de la page, voire par le feuilletage global du journal : le contexte donne largement son sens à un article particulier, qui peut être mis en valeur visuellement, ou au contraire « effacé » par son environnement. Dès lors, comment la revue de presse pourra-t-elle informer avec fidélité sur l'impact de tel texte ?

S'ajoutent d'autres considérations encore : le regroupement thématique volontiers pratiqué dans la revue de presse induit la « perception d'une médiatisation du fait en question, sensiblement plus massive qu'elle ne l'est en réalité. »[1] Par ailleurs, des textes de dates différentes, de natures variées se trouvent regroupés, dans le désordre parfois. En fin de compte, on est très éloigné d'une image fidèle de ce que le lecteur des journaux aura rencontré.

© Dunod – La photocopie non autorisée est un délit.

1. *Ibid.*, p. 105.

Enfin, le plus souvent la présentation ne tient pas compte du poids de l'audience respective des textes publiés, par exemple le fossé qui sépare *Le Figaro* de *Terre vivaraise.*

Ici encore, vous prendrez des précautions :

– les « repères localisants » dont nous avons indiqué la nécessité dans le chapitre consacré à la mise en forme, comme l'indication de la rubrique et de la page de parution, pallient certaines des difficultés liées à l'absence de contexte ; on pourra ajouter des indications sur l'audience du titre, qui n'est d'ailleurs pas toujours en relation avec son prestige ;

– la prise en compte de l'audience respective des titres retenus peut constituer un critère de hiérarchisation ;

– une vignette comparable à celles qui permettent de repérer plus facilement l'emplacement d'une publicité dans les « pages jaunes » est techniquement possible pour ceux qui disposent d'un équipement informatique adapté : elle apporte une précision intéressante sur la localisation de l'information dans la page.

*U*ne information sélectionnée

La sélection, qui est à la base du travail du journaliste, sous-tend évidemment aussi celui du concepteur de la revue de presse. Ce dernier pourra s'inspirer des réflexes du premier, en les adaptant à sa propre situation, et en premier lieu à ses objectifs.

Classiquement, le journaliste tient compte de quatre « moteurs de l'intérêt » de son lecteur : l'actualité, l'originalité, la proximité et l'intérêt humain. En règle générale, il ne se sert pas de tous simultanément ; il s'agit d'un ensemble de registres dont l'informateur peut jouer, en fonction des besoins et des circonstances.

L'actualité

Systématiquement appliquée comme grille de sélection par la presse, l'actualité constitue la valeur principale d'un quotidien.

Dans l'élaboration de la revue de presse, la sensibilité à cette notion vous sera utile pour :

– évaluer en permanence la pertinence de vos choix. Évitez les sujets « réchauffés », ou même ceux qui risquent d'être « refroidis » au moment où le destinataire lira votre document. Cela s'impose en particulier pour les revues de presse à périodicité large, qui risquent de mêler des articles obsolètes à des textes encore valides, sans que le lecteur puisse distinguer immédiatement le bon grain de la balle. À moins bien sûr que l'objectif ne soit pas d'informer sur l'actualité, mais de donner des éléments d'analyse portant sur une période plus longue ;

– tenir compte de l'actualité générale du moment, et pas seulement de celle de votre secteur d'activité. Ce conseil est surtout adapté dans les grandes entreprises ou pour les revues de presse à visée stratégique : savoir ce dont on parle aujourd'hui pourra apporter à votre lecteur une culture utile pour lui-même et pour enrichir ses échanges professionnels ; à un niveau plus indirect, cela lui permettra de voir quels sont les sujets avec lesquels la communication concernant votre organisme sera en concurrence plus ou moins forte. Dès lors, rappelez éventuellement les grands thèmes évoqués à la « une » des principaux quotidiens, le sommaire des journaux télévisés… Une aide intéressante pour cela : écouter les premiers journaux radios de la matinée, et notamment les revues de presse journalistiques.

– anticiper autant que possible : soyez à l'affût des articles qui traitent de prévisions, d'évolutions possibles, notamment dans votre secteur d'activité. Mais vérifiez qu'elles ne sont pas périmées si vous les intégrez à une revue de presse de périodicité espacée.

© Dunod – La photocopie non autorisée est un délit.

L'originalité

L'originalité au sens journalistique du terme constitue une invitation à rechercher ce qui, sans être nécessairement insolite ou sensationnel, sort des sentiers battus, apporte une différence :

– ne négligez pas l'information ou le commentaire qui n'apparaissent qu'une seule fois dans votre corpus de journaux ; inversement, ne vous focalisez pas exclusivement sur ce dont tout le monde parle, et ne privilégiez pas le plus petit dénominateur commun de l'actualité ;

– si 25 journaux ont repris le même communiqué de presse que vous leur avez adressé sans y apporter aucune modification, l'accumulation de 25 coupures identiques n'apporte aucune valeur ajoutée en tant que telle. Il suffira alors de le reprendre une seule fois, en indiquant, au moyen d'un rédactionnel personnel, la liste des autres titres qui l'ont publié, les éventuelles différences de présentation visuelle ou de traitement des informations ; si le communiqué porte sur un sujet qui revient régulièrement, vous pourrez aussi comparer les retombées d'aujourd'hui et celles de campagnes précédentes.

La proximité

Les rubriques locales sont beaucoup plus lues que les articles de politique internationale. Il n'y a aucune raison de penser que le destinataire de la revue de presse réagisse différemment du lecteur habituel de n'importe quel journal. L'application de la loi de proximité apparaît d'ailleurs spontanément dans la sélection des titres à partir de laquelle on travaille : les quotidiens locaux y occupent une place de choix, mais aussi les journaux et revues spécialisés dans le domaine d'activité de l'entreprise.

La proximité est un moteur très fort, mais qu'il convient de manier avec souplesse :

– elle invite certes à éviter une extension trop grande dans les sujets repris ;

- mais inversement, son application au pied de la lettre conduirait au syndrome du village gaulois d'Astérix. Dans certaines collectivités territoriales, on voit des revues de presse élaborées exclusivement à partir des journaux correspondant à l'idéologie politique de l'équipe au pouvoir ! C'est oublier qu'on a toujours besoin des autres et même de ses adversaires, ne serait-ce que pour connaître leur discours et construire le débat contradictoire ;
- de façon générale, vous considérerez qu'elle implique l'intérêt non seulement pour votre propre entreprise ou institution, mais pour les organismes voisins ou concurrents : il est utile de savoir ce qu'ils font, de connaître leurs réalisations ou leurs projets. Ce seront peut-être des idées à reprendre ou des réalités dont il faudra tenir compte pour infléchir la stratégie de votre entreprise.

L'intérêt humain

Ce dernier moteur de l'intérêt connaît souvent des débordements dans la pratique de journalistes, notamment à la télévision. Ce n'est pas étonnant : il est très efficace, puisqu'il joue sur la sensibilité du lecteur.

Face à cette clé de traitement essentielle dans la presse, vous devrez rester prudent : prenez du recul par rapport au mode de sélection de beaucoup de journaux qui privilégient systématiquement ce moteur de l'intérêt dans leur sélection et leur traitement de l'information, et demandez-vous si les informations ainsi mises en valeur le méritent.

L'intérêt humain apparaîtra dans certains types d'articles que vous sélectionnerez : départ à la retraite, compte rendu d'une manifestation… De façon plus générale, la sélection d'un papier très « humain » (article d'ambiance, etc.) peut aérer et dynamiser votre revue de presse, par un effet d'opposition structurante (concernant cette expression, voir plus bas).

L'intérêt humain pourra se manifester enfin par l'introduction de la parole de l'émetteur : c'est un des avantages de la présence d'un court rédactionnel personnel, qui guide le lecteur sans insistance inutile, lui explique le fonctionnement de

© Dunod – La photocopie non autorisée est un délit.

la revue de presse, lui donne quelques informations complémentaires… ou lui présente simplement des vœux pour la nouvelle année.

Une information hiérarchisée et construite

Pour être parlantes, les informations ne doivent pas être placées sur le même plan, « en rang d'oignon » ; elles gagnent toujours à être *hiérarchisées* ou plus simplement *construites*. Une nuance sépare les deux termes : le premier insiste sur la nécessaire distinction entre ce qui est plus important et ce qui l'est moins, le second met l'accent sur les liens logiques qui devraient toujours exister entre les informations, même s'ils sont implicites. Nous examinerons les conséquences qu'induisent ces « accents » différents.

Comment insister sur l'essentiel ?

Pour mettre l'essentiel en valeur… il faut l'avoir identifié en tant que tel ! Il n'existe pas en soi, mais par rapport à vos objectifs et plus globalement en fonction de ce que nous avons appelé le « projet éditorial » de votre revue de presse (voir p. 41). La hiérarchisation commence donc plus particulièrement par la définition des *rubriques* qui reflètent ce projet éditorial.

Elle continue par une bonne gestion de la *redondance* : une information mise en valeur typographiquement dans le sommaire, reprise éventuellement dans un sommaire partiel correspondant à une rubrique, et rappelée comme importante dans un index figurant dans un numéro ultérieur de la revue de presse ne passera pas inaperçue. La reproduction de plusieurs articles ne présentant que des différences de forme minimes, peut produire le même effet d'insistance, surtout dans le cas des revues de presse qui ne reprennent pas automatiquement tous les articles parus sur un même sujet.

La *surface* accordée peut aussi constituer un in
cieux pour le lecteur : un article reproduit in e
poids différent de la simple donnée bibliographique. A
dans ce dernier cas, indiquez à votre lecteur le mode d'accès a
texte intégral du document non publié. Il en va un peu différemment des textes reproduits partiellement (avec la présence systématique du signe […] pour indiquer les coupures) ; les passages
sélectionnés peuvent avoir une importance identique à celle
d'un article publié en entier.

C'est surtout la *mise en page* qui permet de valoriser un texte
par rapport à un autre : consacrer une page à un texte important – éventuellement entouré d'un filet – n'a pas la même signification que de regrouper plusieurs textes sur une même
feuille (voir p. 96).

Enfin, vous pouvez insister explicitement sur l'importance relative des articles reproduits au moyen d'un *rédactionnel personnel*. Aussi court que possible, celui-ci présentera l'intérêt de tel
texte, en même temps qu'il précisera les liens éventuels entre
les différents articles d'une page ou d'un ensemble plus vaste.
C'est aussi un lieu privilégié pour *suggérer le sens de l'information*.

Construire une logique

Essayez au maximum de regrouper « ce qui va ensemble ».
Pour cela, vous aurez recours aux grands types de relations logiques suivants :

– *la relation d'identité et de comparaison* : elle vous conduira à
  regrouper les informations reprises sous la même forme par
  différents journaux, en analysant éventuellement les différences de traitement dans un rédactionnel personnel.

– *la relation de complémentarité* : elle regroupera des informations différentes, mais qui illustrent une même thématique,
  soit en construisant un dossier autour d'une question importante, soit en suivant un ordre *chronologique*. Attention : la
  présentation chronologique par événement est à privilégier,
  que l'on descende ou que l'on remonte le fil du temps ; éviter la construction chronologique « absolue » de la revue de
  presse, qui conduit à mélanger les événements et les types de

© Dunod – La photocopie non autorisée est un délit.

traitement (par exemple un éditorial du *Monde* risque d'intervenir après un article de locale).

– *la relation d'opposition* : loin d'être toujours synonyme de contradiction, elle est très parlante pour le lecteur, parce qu'elle structure la perception. Construisez donc vos informations en opposant par exemple « vous » et « les autres » (ce qui oblige aussi à ne pas oublier ces derniers), une information positive et une information négative, etc.

– *la relation de causalité* : sauf exceptions qui existent, cette relation n'est pas facile à gérer dans la mise en relation d'articles simplement informatifs. Elle peut néanmoins vous aider si vous cherchez à identifier et à mettre en valeur des textes qui expliquent la situation actuelle, ou qui en analysent les conséquences ; pour cela, vous serez souvent amené à valoriser des éditoriaux ou des commentaires. Un rédactionnel personnel peut aussi utiliser et développer explicitement cette relation.

Des questions à se poser pour aborder la sélection et la construction des informations et des articles

Comment donner des informations pertinentes ?
celles qu'attend le lecteur
des informations de qualité sur le plan technique

Comment donner des informations fidèles ?
informations brutes et information sur leur retentissement
gérer les coupures
donner des indications sur le contexte

Comment sélectionner les informations ?
par rapport aux objectifs
en prenant en compte les centres d'intérêt du lecteur

Comment mettre l'essentiel en valeur ?
une définition judicieuse des rubriques
une bonne gestion de la redondance
jouer sur la mise en page
ajouter un rédactionnel personnel

Comment regrouper les articles par affinités à l'intérieur des rubriques ?
utiliser les grands types de relations logiques.

Chapitre 6
Une forme visuelle efficace et valorisante

S ouvent négligé ou traité trop sommairement, l'aspect visuel de votre revue de presse est pourtant essentiel : c'est lui qui séduira et retiendra le lecteur ; c'est lui aussi qui valorisera l'image de l'entreprise, à l'interne certes, mais aussi dans tous les cas où le document circulera à l'extérieur. On objecte le manque de temps et l'urgence de la réalisation : vous verrez que des techniques existent pour conjuguer qualité et efficacité.

La reliure

Dans la pratique, on rencontre tous les cas de figure, depuis la simple chemise, souple ou cartonnée, contenant des photocopies agrafées ou pas, jusqu'aux différents types de reliure possibles. Voici les principaux, avec leurs avantages et leurs inconvénients.

Une ou plusieurs chemises, des photocopies agrafées ou non

C'est la solution minimale, économique en temps. On comprend donc qu'elle soit fréquemment utilisée pour la revue de presse quotidienne, même si elle porte l'image d'un certain bricolage et ne témoigne pas vraiment d'un souci de communication. L'agrafage double ou multiple peut handicaper la lecture : difficulté d'ouverture de la double page et risque de « manger » du texte photocopié ; l'agrafage en coin évite en principe ces inconvénients, évite aussi que les copies ne se perdent ou se mélangent, mais n'est pas très esthétique. Ne parlons pas du trombone !

Une solution rapide et astucieuse : la chemise préimprimée – selon les conseils donnés plus loin à propos de la couverture –, facilement actualisable, soit par une mention éventuellement manuscrite, soit au moyen d'une « fenêtre » ouvrant sur la page de garde qui comportera alors les repères chronologiques. D'éventuels rabats intérieurs évitent la dispersion des copies.

La barette plastique ou la reliure spirale

Le procédé est simple à mettre en place, peu coûteux, assez rapide et surtout nettement plus esthétique. Attention pourtant à la barette, qui peut présenter les mêmes inconvénients pour la lecture que l'agrafage multiple et qui se déboîte parfois : nous lui préférons la spirale plastique, qui permet une ouverture maximale et favorise une bonne perception visuelle de la double page. Attention quand même à ce que la reliure ne « mange » pas trop de texte ! L'adjonction éventuelle d'une couverture transparente en rhodoïd renforcera l'élégance de l'ensemble.

La reliure collée

Sa mise en place est plus longue, et de surcroît elle ne s'adapte qu'aux documents qui présentent une certaine épaisseur : on la réservera donc en principe aux revues à périodicité espacée. Elle convient bien aussi aux production de prestige à visée promotionnelle. Dans ces cas, l'entoilage souvent noir peut être remplacé par un papier semi-rigide, éventuellement imprimé : ainsi le dos du document de 312 pages produit par une Caisse régionale d'assurance maladie porte la mention « Bilan presse 1999 ».

Choisir un titre original ?

Indispensable pour identifier un journal, un titre original est-il bien utile pour une revue de presse ?

La pratique dominante pourrait en faire douter, tant sont nombreuses les appellations qui se contentent de rappeler qu'il s'agit d'une *revue de presse*, voire d'un *press book* –, incluant éventuellement l'indication de la périodicité (*Revue de presse hebdomadaire*) et/ou de l'organisme concerné (*Revue de presse annuelle de l'université X*). Les quelques variantes possibles peuvent suggérer la périodicité (une « lettre » ne s'inscrit pas dans la même durée qu'un « bilan »), mais le plus souvent n'apportent guère de valeur informative ajoutée (par exemple *La revue de presse*, où l'article défini se veut simple artifice d'insistance et de mise en valeur).

Dans tous ces cas, la revue de presse se contente d'apparaître comme une déclinaison particulière des multiples supports de communication de l'organisme, et sa dénomination minimale permet de l'identifier au même titre que n'importe quelle note, rapport, etc. produit par ailleurs. *Il suffit alors que l'encadrement visuel* soit *fort* (logo, respect de la charte graphique si elle existe) et qu'apparaissent clairement les « repères localisants » qui permettront une identification rapide et précise de l'entreprise, du service émetteur, de la date et de la période couverte, voire du type d'organes de presse concernés par la revue. Que ces indications soient incluses ou non dans le titre est parfaitement subsidiaire : c'est l'ensemble de la couverture qui compte, plus que le nom de l'objet. Il faudra alors jouer sur l'impact de la typographie (force de corps et graisse) pour compenser la banalité de l'appellation : si elle est minuscule, l'indication *Revue de*

© Dunod – La photocopie non autorisée est un délit.

presse n'est pas très vendeuse. Et cela ne vaudra guère mieux si le nom de l'organisme est peu apparent.

Document 1 – La loupe suffit-elle pour identifier rapidement qu'il s'agit d'une revue de presse ?

Certains concepteurs font usage d'un titre un peu original pour mieux « vendre » le produit. La plupart des procédés rencontrés rejoignent les lois de l'intérêt humain et de la proximité (voir p. 72-73) : ils utilisent un vocabulaire plus concret (*Une semaine en Lorraine*), dynamique (*Impact*), renvoyant à un registre visuel (*Zoom, Vu d'ailleurs, Regards, Vu dans la presse* ou mieux : *Vues de presse*) ou encore ils incluent le lecteur (*Lu pour vous*). Tous ces procédés sont pertinents à condition qu'un surtitre ou un sous-titre dissipe toute équivoque en indiquant bien la nature du document : là encore, l'architecture d'ensemble de la page de couverture demeure primordiale. Dans l'exemple ci-contre (document 1), la présence d'une loupe ne suffit pas à désigner rapidement la revue de presse, tant cette mention est peu apparente !

L'architecture de la couverture

La qualité de sa conception est évidemment essentielle dans une stratégie de communication réfléchie. Sur ce point, la revue de presse gagnerait sans doute à s'inspirer librement du fonctionnement des journaux.

La couverture d'un organe de presse remplit une triple fonction :

– elle permet d'identifier le support ;
– sa forme est incitative et contribue puissamment à l'acte d'achat et à l'envie de lire ;
– elle constitue un premier lieu d'information.

Donner une identité au support

On reconnaît un journal à sa couverture (ou à sa Une pour un quotidien) : visuellement, la confusion entre *Le Monde* et *Le Figaro* est impossible, de même qu'entre *Le Nouvel Observateur* et *Le Point*. La continuité est un gage de sécurité pour le lecteur, un lieu d'habitudes tout comme les rubriques. De la même fa-

© Dunod – La photocopie non autorisée est un délit.

çon, la revue de presse gagne à être présentée toujours sur le même modèle, qui permettra d'identifier fortement :

- *l'entreprise* : si elle existe, la charte graphique de l'organisme devra être appliquée dans cet esprit ;
- la *revue de presse* elle-même : d'où l'importance du titre, des choix typographiques et de mise en page qui sont toujours des invariants. Que les choix soient bons ou moins bons, la continuité doit primer ; les modifications n'interviendront que très prudemment, excepté le cas d'un changement complet de la formule, destiné lui-même à mettre en place une nouvelle continuité.

Ces contraintes dictées par l'efficacité de la communication comportent par ailleurs des avantages pour la rapidité de confection du document. Un modèle graphique défini une fois pour toutes permet de gagner du temps, surtout s'il intègre la gestion des variables ; ainsi, les informations « fixes » pourront être imprimées sur une couverture semi-rigide :

- le titre ;
- le type de revue de presse (quotidienne, hebdomadaire…) ;
- le service émetteur et ses coordonnées : téléphone, fax, e-mail, adresse si nécessaire).

Mais des « fenêtres » peuvent ouvrir sur des informations importantes figurant sur la page de garde :

- numéro ;
- date de parution de la revue de presse ;
- tranche chronologique qu'elle recouvre.

Si la couverture est simplement constituée par la première feuille de la revue de presse, la présence de cases qu'il suffira d'actualiser en facilite la mise à jour.

Donner envie d'entrer dans le document

Dans la presse, c'est d'abord l'aspect visuel – déjà fortement présent au point précédent – qui remplit cette fonction d'incitation : avant de lire quoi que ce soit, le futur lecteur voit une « image globale », agréable et attirante ou non.

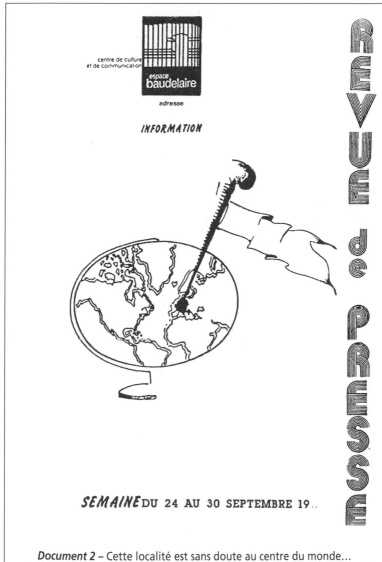

Document 2 – Cette localité est sans doute au centre du monde... mais elle n'y est pas la seule ! Attention à un graphisme trop « amateur ».

© Dunod – La photocopie non autorisée est un délit.

Cette image repose sur des choix typographiques et graphiques, mais aussi sur de véritables visuels : dessins, photos, etc. Un point important à noter : rarement neutre, elle ne peut être que positive ou négative, et un visuel qui n'est pas bon est presque nécessairement mauvais. Attention donc aux dessins qui semblent parfois extraits d'une revue de collégiens et qui peuvent apparaître comme une marque d'amateurisme (voir document 2) ; n'oubliez pas non plus qu'une photo en noir et blanc ressort très mal sur un support en couleur.

Mais surtout, au-delà de la qualité esthétique et technique des visuels reproduits, c'est leur signification qui comptera. En communication, l'art pour l'art n'existe pas, et tous les choix reposent sur une seule préoccupation, celle d'informer. Dès lors, vous éviterez tous les visuels qui ne veulent rien dire, d'autant plus inutiles qu'ils sont grands et encombrants. La mise en couverture systématique d'un dessin humoristique paru dans la presse (Plantu, Faizant ou autre) n'est pas nécessairement une bonne idée si le procédé fonctionne à vide, c'est-à-dire sans se préoccuper du projet éditorial du document. Pour un support préimprimé, méfiez-vous aussi de la reproduction de quelques articles repris de vos journaux habituels et négligeamment éparpillés sur la page : ils seront rapidement obsolètes et risqueront de donner un « coup de vieux » à votre document ; dans ce cas, mieux vaudrait un patchwork aussi esthétique que possible des titres de vos magazines et journaux (par exemple document 3).

La couverture, un lieu d'information

Cette troisième fonction de la couverture est déjà présente implicitement dans le développement précédent, tant il est vrai que la presse séduit habituellement son acheteur par la promesse d'une information de qualité. C'est en quelque sorte un rôle de vitrine. D'où la présence sur la couverture d'un journal de plusieurs articles qui continuent en pages intérieures, d'un sommaire souvent partiel qui permet de hiérarchiser les informations et d'attirer l'attention sur les plus importantes ; c'est d'ailleurs le rôle que joue aussi la manchette du journal.

Document 3 – Le patchwork de journaux présente ici l'avantage de ne guère faire apparaître de titres d'articles, qui seraient rapidement obsolètes.

Pourquoi ne pas s'en inspirer pour la revue de presse et ne pas jouer résolument la carte de l'information ? Sa « une » pourra donc être enrichie par la présence d'un sommaire, éventuellement partiel si le sommaire complet est trop long : dans ce cas, les choix effectués permettront par la même occasion d'introduire une véritable hiérarchisation en mettant en valeur les informations majeures. Encore faudra-t-il veiller à ce que les indications données soient vraiment informatives (voir p. 64 et 89) ! Certaines revues font également figurer en première page l'article considéré comme le plus important, ou encore des informations de synthèse traitées sous forme de brèves, reprises ou non d'articles figurant dans la suite du document.

Une éventuelle page de garde

Si la « une » est composée à neuf à chaque édition, une page de garde ne s'impose pas vraiment, même si elle peut faire respirer le document ou contribuer à la hiérarchisation des informations, en complétant les mentions obligatoires indiquées pour la couverture par des éléments utiles, mais moins importants ; en revanche, elle est indispensable dans le cas d'une couverture préétablie.

Elle apporte alors les informations variables indiquées précédemment :
– numéro et date de parution de la revue ;
– fourchette des dates de parution des articles ;

Elle peut y ajouter des données complémentaires :

– indication des supports (sans qu'il y ait tromperie sur la marchandise : une revue de presse sous-titrée « quotidiens » ne saurait inclure des extraits d'hebdomadaires ou de magazines divers) ;
– éventuellement, indication des destinataires du document, s'ils ne sont pas trop nombreux pour une revue de presse donnée, mais surtout si l'organisme destine des revues de

presse différentes selon les catégories de personnes – par exemple les élus, ou le personnel administratif dans une collectivité territoriale ; dans ce dernier cas d'ailleurs, la précision est suffisamment importante pour figurer sur la couverture.

Un trio inséparable : le sommaire, les rubriques et la pagination

Nous regroupons ces trois éléments, parce qu'ils sont indissociables. L'absence trop fréquente de l'un d'entre eux rend les autres peu utilisables : un sommaire n'a de sens que s'il permet de retrouver rapidement la page où se trouve l'article mentionné. Si les rubriques existent et mettent un peu d'ordre dans l'avalanche des textes présentés, quelle est leur utilité si elles ne s'accompagnent pas d'un sommaire et d'une pagination ? Il existe des revues de presse annuelles de 300 pages comportant parfois des rubriques, mais aucune pagination ; de même, un document paginé de 80 pages sans sommaire demeure lui aussi largement inutilisable.

Afin que ces lieux importants pour l'organisation et donc la facilité de consultation fonctionnent bien, voici les conseils à suivre :

- paginer obligatoirement le document, quelles que soient les contraintes pratiques d'élaboration ;
- un sommaire général s'impose. Des sommaires partiels disposés en tête de chaque rubrique peuvent le compléter utilement, mais ne le remplacent jamais ;
- ce sommaire doit être aussi informatif que possible, c'est-à-dire qu'il doit permettre à l'utilisateur :
  - de retrouver rapidement le type d'articles dont il a besoin ;
  - d'être guidé vers les informations considérées comme particulièrement importantes ;
  - de disposer d'une première information sur les contenus.

© Dunod – La photocopie non autorisée est un délit.

Retrouver rapidement un type d'article

Cette première nécessité suppose que le sommaire reprenne le rubricage de la revue de presse, qui constituera toujours son armature : la simple liste des 20 ou 30 articles qui constituent la revue représente une « épicerie » inutilisable. Encore faut-il que le rubricage fonctionne rigoureusement : ainsi des indications comme celles qui apparaissent dans le sommaire – réel – que voici, n'apportent rien :

Sommaire

De nombreux articles sur les entreprises lorraines dans la presse

Du nouveau dans la bibliothèque

À savoir :
Quelques points qu'il est bon de connaître

Liste des articles parus en février 2000

Pas de panique !
Gérer les personnalités difficiles

Pas de renvoi aux pages, rubriques insignifiantes à force de généralité, confusion entre les rubriques et le titre d'un article dont les coordonnées précises ne sont même pas indiquées : ce sommaire cumule les erreurs.

Comme nous l'avons déjà dit, les rubriques mettent de l'ordre, rassemblent ce qui va ensemble. Ce qui suppose un certain nombre de précautions :

- éviter les rubriques fourre-tout, du type « divers » ;
- éviter le trop et le trop peu : pour une société française d'envergure internationale, la revue de presse hebdomadaire qui reprend en moyenne 150 articles ne devrait pas se contenter de deux rubriques articulées autour de ce qui concerne la société pour la première et autour de l'environnement économique pour la seconde ; inversement, un nombre trop grand de rubriques risque d'égarer le lecteur ;

- éviter la confusion de la rubrique et de l'intitulé d'un article (même si celui-ci est considéré comme particulièrement important) ;
- toutes les rubriques ne sont pas nécessairement pourvues dans chaque numéro, mais elles se trouvent toujours à la même place, dans le même ordre. Une fausse bonne idée consiste à travailler sur un sommaire normé, reprenant la liste de toutes les rubriques possibles, en ajoutant simplement à la main la pagination correspondant aux rubriques pour lesquelles il y a des articles dans la revue du jour ; on s'y perd un peu, alors que les ressources de l'informatique permettraient de réaliser rapidement le sommaire valable pour l'unique numéro en cours, en supprimant les rubriques non pertinentes sur un fichier préétabli.

Un guide vers les informations importantes

Cette seconde nécessité suggère que le sommaire doit contribuer à hiérarchiser les informations. Le rubricage ne le fait qu'imparfaitement ; il faudra donc recourir à d'autres procédés : mise en valeur typographique du titre de tel article, reprise de son chapeau ou de son accroche… Pour cela, inspirez-vous des techniques utilisées dans la presse, notamment dans les magazines.

Une première information sur les contenus

Sur ce point, le professionnalisme supposé des journalistes devrait faciliter votre tâche : les titres de leurs articles fonctionnent la plupart du temps sur la présence du couple « sujet + prédicat » (voir p. 64), et donnent donc en principe une information de base utile et reflétant le noyau du message essentiel de l'article. Mais ce n'est pas toujours le cas. Ainsi, un sommaire de la revue de presse internationale d'EDF s'est contenté de reprendre le titre d'un article de *The Economist* : « D'où vient l'énergie française ? » Cette question n'est pas une information ; ici, il aurait été judicieux de reprendre la courte accroche de l'article : « L'énergie nucléaire est, depuis long-

© Dunod – La photocopie non autorisée est un délit.

temps, le cheval de bataille d'Électricité de France, la plus grande compagnie d'électricité d'Europe. Elle pourrait devenir son talon d'Achille ». Et si la préoccupation – légitime – du concepteur est de ne pas alourdir le sommaire, rien ne lui interdit de modifier un peu le texte : « L'énergie nucléaire est depuis longtemps le cheval de bataille d'EDF. Elle pourrait devenir son talon d'Achille. »

Ici, la clé consiste à évaluer systématiquement la qualité de l'information qui apparaît dans le sommaire : est-elle suffisante, ou bien le recours au texte de l'article est-il indispensable pour en comprendre l'intérêt ou les enjeux ?

*L*a logique de la typographie

Cohérence et logique sont les maîtres mots qui guideront la mise en forme visuelle de la revue de presse. Nous en avons déjà parlé à propos de la couverture : ici encore, c'est le souci d'une continuité au service de l'efficacité dans la transmission de l'information qui donneront l'image d'un vrai document de communication. Pour y parvenir, vous aurez recours une fois de plus à la charte graphique de votre entreprise, en la complétant ou en palliant le cas échéant son absence par ce que les journalistes appellent une « bible graphique » : celle-ci affecte par exemple un type de caractère typographique, toujours le même, à un niveau de lecture donné (différent du titre au chapeau et du texte aux légendes des visuels) et à un lieu donné (l'article de fond se différenciera ainsi du papier d'ambiance, le reportage de l'éditorial).

À quoi ces précautions vont-elles vous servir ? Dans la majorité des cas, vous ne recomposerez pas les textes des articles retenus. Encore que… Certaines entreprises le font bien, notamment pour des panoramas de presse à périodicité espacée. Vous pourrez être amené à le faire partiellement, par exemple pour les titres, avec le souci d'harmoniser la présentation et de faciliter la mise en page par un encombrement optimal ; vous serez surtout conduit à introduire un peu de texte, peut-être quelques mots seulement, pour donner d'indispensables repères à votre lecteur. Dans tous ces cas, l'harmonisation des choix vous rendra de grands services. Par exemple, il est désagréable de rencontrer des sommaires composés dans des polices de caractères différentes d'un numéro à l'autre, selon la fantaisie du jour. Faites figurer les repères localisants au même endroit, en utilisant une présentation constante.

Dans cette recherche de la cohérence, vous veillerez aussi à la continuité entre l'aspect de la couverture et la présentation intérieure : plus la première est esthétique, plus le négligé du reste apparaîtra choquant. Attention donc à la qualité de vos photocopies et de leur présentation matérielle ; les documents transmis par fax peuvent ne pas être satisfaisants sur ce point.

La mesure constitue une autre règle d'or pour guider vos choix. Evitez l'utilisation de caractères disproportionnés pour un niveau de lecture donné, par exemple dans le document 4, où les caractères utilisés pour indiquer les références gomment l'information qui suit. Si vous recomposez les titres pour les harmoniser ou si vous les réduisez à la photocopie pour gagner de la place, attention à ne pas trop atténuer leur force typographique : ce serait préjudiciable aussi bien à l'efficacité de la communication qu'à la fidélité de la restitution (voir p. 68). De toute manière, la réduction des textes – en dehors des titres – est rarement judicieux, parce qu'ils risqueraient vite de devenir illisibles : si vous la pratiquez, ne dépassez pas 10 à 15 %, et pour les titres, vérifiez qu'elle n'engendre pas d'ambiguïtés, comme la confusion entre le titre général d'un ensemble et celui de tel article particulier.

Enfin, vous respecterez le code typographique, notamment pour l'indication des titres de journaux ou d'articles dans le sommaire : le nom d'un support de presse se compose toujours en *italiques*, mais pas le titre d'un article ; ailleurs que dans le sommaire, ce dernier apparaît entre guillemets. Les guillemets isolent aussi une citation, que vous composerez, elle, en *italiques*. Et, d'une manière générale, rappelez-vous que les énoncés composés en CAPITALES (ou majuscules) sont moins lisibles – même dans les titres – que ceux qui apparaissent en bas de casse (ou minuscules) ; si vous voulez renforcer l'impact visuel d'un titre, jouez plutôt sur la force de corps et sur sa graisse.

© Dunod – La photocopie non autorisée est un délit.

5 SEPTEMBRE

Communiqué de la CRAM
Rien à payer

Vous êtes âgé de 55 à 60 ans, vous êtes toujours ou avez été salarié, vous avez cotisé au Régime Général de la Sécurité Sociale...

Vous avez des droits.
La CRAM Nord-Est est seule compétente pour vous renseigner gratuitement sur votre situation. Il est inutile de rémunérer un tiers pour cela. Les conseillers retraite de la CRAM Nord-Est sont à votre service.
Venez les rencontrer dans le point d'accueil retraite le plus proche de votre domicile. Pour le connaître, téléphonez au 25.76.41.95.

Document 4 – Évitez la disproportion flagrante entre la référence et l'information, ainsi que l'excès de « blanc ».

---

l'Humanité   28 FEV

UN POLICIER COGNEUR

Un sous-brigadier de quarante-deux ans a été condamné hier à huit mois de prison avec sursis par le tribunal correctionnel de Reims (Marne) pour avoir violemment frappé, à l'aide de son arme de service, une adolescente de quinze ans, interpellée par erreur. Sa peine de prison est couverte par l'amnistie, les faits relevant d'avant l'élection présidentielle. Le policier, ████████, qui a été suspendu de ses fonctions, devra verser toutefois 20.000 francs de dommages-intérêts aux parents de l'adolescente. Le soir du 16 mai 1988, le sous-brigadier et ses collègues recherchaient les occupants d'une voiture volée dans un quartier de Reims lorsqu'ils ont découvert Claire cachée dans des broussailles. La jeune fille venait de se taillader les veines... Le policier l'a alors frappée, lui infligeant un traumatisme crânien et plusieurs plaies au cuir chevelu et à la joue.

Document 5 – Un pictogramme peut constituer une aide intéressante pour la lecture.

Savoir utiliser le cadre de la page

Chaque page de la revue de presse sera construite en fonction des impératifs de lisibilité et de facilité d'accès à l'information.

La recherche de la lisibilité

La lisibilité de la page repose d'abord sur un *équilibre visuel* entre le « texte » et le « non-texte », qui devrait se situer dans un rapport approximatif de 50/50. Par convention, le texte représente tous les développements écrits ; plus curieusement, le non texte est constitué non seulement par le blanc, mais aussi par les titres et les illustrations... Cette constatation constitue une première esquisse de réponse à la question traitée plus bas : le principe de reproduire un article par page peut heurter violemment cette règle, surtout s'il s'agit de brèves ! Contrairement à ce que l'on pense parfois, trop de blanc n'arrange rien (voyez le document 4).

La lisibilité repose aussi sur un certain *confort de lecture.* Ce qui signifie cohérence de la disposition, en jouant par exemple de l'axe diagonal de la page. L'encadrement systématique des articles au moyen d'un léger filet peut aider à les isoler ; mais on peut aussi songer à regrouper dans un cadre unique plusieurs articles que relie un lien thématique.

Par ailleurs, le confort de lecture suppose que l'utilisateur n'ait pas d'effort particulier à fournir pour parcourir rapidement le document dans sa continuité : prudence donc dans l'usage de la présentation « à l'italienne », qui oblige à renverser le fascicule, même si le procédé permet de gagner de la place dans la mise en page. Attention aussi à la clarté de présentation des articles qui ne tiennent pas sur une seule page : plutôt que de jouer sur des titres coupés en page impaire qui continuent sur la page paire suivante, utilisez soit le signe conventionnel [.../...], soit un pictogramme du type ➡.

Enfin, vous assurerez le confort de votre lecteur en l'aidant à identifier les passages que vous jugerez *a priori* importants pour lui : le soulignage de mots clés, voire le rappel en marge au

© Dunod – La photocopie non autorisée est un délit.

moyen d'un pictogamme pourra se révéler utile (voir document 5).

L'intérêt d'un cadre normé

Un cadre normé, c'est-à-dire préétabli, vous permettra de gagner beaucoup de temps dans la réalisation et constituera une aide appréciable pour votre lecteur. Vous préparerez donc une fois pour toutes le support sur lequel vous collerez les extraits de presse. En principe, il pourrait se présenter de la façon suivante :

Exemple de cadre normé

Nom du journal   **Date**   **Rubrique** (de la revue de presse)
(éventuellement son logo,
reproduit sur des étiquettes autocollantes)

Indication de la rubrique d'origine
+ repères permettant d'identifier
la situation de l'article (voir p. 70)

Logo du service émetteur
utile en particulier dans
les très grandes entreprises ;   **Pagination**
peut « sauter »
en fonction des nécessités de la mise en page

Cette technique convient particulièrement aux articles d'une certaine longueur, présentés à raison d'un texte par page. Mais elle peut s'adapter aussi à la mise en page de plusieurs articles par page : dans ce cas, ne subsisteront dans les indications normées que l'intitulé de la rubrique, accompagné éventuellement d'un titre ou de mots clés précisant l'instance de regroupement des articles, l'indication du service émetteur de la revue de presse et la pagination ; les autres informations seront données à côté de chaque article.

Une photocopie par page ou un remplissage maximum ?

Les deux formules existent, avec leurs avantages et leurs inconvénients :

Une photocopie par page : ses avantages...

- cette formule est rendue presque obligatoire dans la logique de supports fortement normés ;
- elle induit souvent une certaine élégance, due notamment au sentiment d'unité qu'elle produit. En ce sens, elle convient aux revues de presse à périodicité espacée – annuelle par exemple – où les critères esthétiques l'emportent souvent sur l'efficacité dans la transmission d'une information immédiatement utilisable ;
- elle se révèle précieuse chaque fois que l'objectif est de jouer la carte du volume, c'est-à-dire d'insister – implicitement ? – sur l'importance que la presse accorde à l'entreprise, quitte à déformer la réalité (voir ce qui est dit sur la fidélité, p. 69). Nous retrouvons ici un cas de figure proche du précédent.

... et ses inconvénients

- le premier inconvénient est précisément celui du volume excessif, coûteux par tout le papier consommé, mais aussi par le temps d'exploitation requis chez l'utilisateur ;
- toujours sous l'angle de l'efficacité dans la communication, elle ne permet pas de regrouper les textes qui vont ensemble. Le risque de juxtaposition d'articles pas ou peu hiérarchisés, est grand ; cette difficulté à hiérarchiser risque aussi de valoriser indûment un article par rapport à un autre qui revêt une importance intrinsèque plus grande, mais que rien n'indique vraiment.

© Dunod – La photocopie non autorisée est un délit.

Plusieurs articles par page : des avantages...

– la formule s'impose dans les revues de presse à périodicité rapprochée, qui comportent beaucoup d'articles. C'est le cas notamment de celles des grandes entreprises qui occupent une place privilégiée dans l'univers médiatique, mais aussi d'entreprises plus modestes, lorsque leurs centres d'intérêt sont nombreux et variés ;

– elle permet de regrouper les articles qui concernent un même événement et, de façon générale, de hiérarchiser plus facilement les informations et les types d'articles.

... et des limites, qui exigent la mise en œuvre de certaines précautions

– en raison de l'incohérence typographique des articles juxtaposés, l'impression visuelle n'est pas toujours très bonne (voir document 6) ;

– la formule impose un rubricage explicite ;

– elle entraîne parfois des difficultés de regroupement logique, d'autant plus que ceux-ci risquent d'être guidés uniquement par la forme typographique : l'exemple extrême – et un peu caricatural – en est donné par le document 7 : le réalisateur a voulu restituer la forme exacte d'un journal en emboîtant systématiquement les articles de manière à obtenir une page certes homogène, mais sans aucun souci de hiérarchisation des informations.

En fin de compte, pourquoi ne pas jouer sur les deux possibilités ?

Dans ce cas, on bénéficie des avantages de chacune des formules évoquées : réserver une page à un article particulier permet de mettre en avant un texte important et/ou long ; en revanche, les textes plus courts seront regroupés sur un même page par affinité thématique. La continuité sera assurée par le rubricage, la présence éventuelle d'un titre courant commun que vous affecterez à l'ensemble des articles, voire de petits rédactionnels de transition.

SOLVAY

● *Bonne conjoncture*

Profitant d'une conjoncture mondiale tout à fait exceptionnelle dans la chimie, ce groupe belge a enregistré au cours du premier semestre une croissance de 24,2% de son résultat net hors éléments exceptionnels, à 7,4 milliards de francs belges (1,22 milliard de francs).

Parallèlement, le chiffre d'affaires a progressé de 18% à 130,7 milliards de francs belges (21,5 milliards de francs). Les dirigeants sont optimistes quant au déroulement de la seconde partie de l'année, déjà bien entamée.

Pour l'année en cours, selon la charge spécialiste Tuffier, le chiffre d'affaires peut être estimé à 43 milliards de francs français (+ 18%) et le résultat net part du groupe à 2,56 milliards de francs, en progression de près de 50%, soit un bénéfice par action de 310 francs.

Celui-ci comprend un résultat exceptionnel net de 500 millions de francs français en provenance de la cession d'une participation de 25% dans le vapocraqueur éthylène de la société américaine Corpus Christi Petroleum.

Cette cession illustre la stratégie du groupe : sortir des activités les plus cycliques et se concentrer sur les produits où il peut à la fois être leader mondial et dégager de fortes marges. Ainsi, le numéro un mondial du chlore est petit à petit en train de changer de profil. Les alcalis représentent un peu moins du tiers du chiffre d'affaires tandis que la part des plastiques a été portée à 28% (orientation vers les spécialités) ; la transformation représente 19,2% du chiffre d'affaires (moulages pour l'industrie automobile) ; les peroxydes 8,2% (eau oxygénée) et la santé, le secteur privilégié, 12% (antidépresseurs, vaccins pour animaux). Opérant sur un marché étroit, la Belgique, Solvay a pris une longueur d'avance sur les groupes français pour la constitution d'un ré-

seau mondial, notamment aux Etats-Unis, qui représentent 27% du chiffre d'affaires.

Par ailleurs, Solvay dispose d'importantes ressources financières (trésorerie proche de 6 milliards de francs français).

De ce fait, la capacité du groupe à résister à un retournement du marché de la chimie de base s'est accrue au cours de ces dernières années. La charge Tuffier estime que la progression du résultat net pourrait légèrement se ralentir en 1989 au rythme de 9% contre un exceptionnel 50% réalisé cette année, soit un bénéfice net de 2,8 milliards de francs français en 1989, donnant à 340 francs par action.

A l'occasion de son 125ème anniversaire, la société vient de procéder à l'attribution d'une action gratuite pour 20 actions détenues.

L'attribution gratuite a aussi pour but de fidéliser les actionnaires alors que les parts du capital détenues par la famille (plus de 50% des parts dont la moitié par le holding Solvac, contrôlé par ses cadres) pourrait s'éroder. Une émission d'obligations à bons de souscription est d'ailleurs prévue dans un but de protection du capital.

Les titres sont restés relativement sous-cotés. Aujourd'hui, avec un rapport cours sur bénéfice compris entre 7 et 8 (50% de moins que la moyenne de la Bourse de Bruxelles et 25% de moins que la moyenne mondiale du secteur), l'action peut être acquise.

Cours récent : **2.249** francs
Valeur en Bourse : **18,3 milliards de** francs
Rapport cours/bénéfice estimé 1988 : 7,2, compte tenu d'un bénéfice net exceptionnel de 500 millions de francs, 8,2 hors élément exceptionnel
Notre conseil : achat de fond de portefeuille

Filtres à café, couches... : le papier blanchi au chlore interdit en Suède

Le Quotidien de décan 8.11.88

En Suède, l'Inspection des produits chimiques a demandé au gouvernement d'interdire immédiatement la vente des filtres à café de papier blanchi au chlore, car ils contiennent de la dioxine, à même de se diluer dans le café quand on le prépare.

L'Inspection suédoise des produits chimiques a déjà fait retirer du marché il y a quelque temps des couches en papier pour bébés blanchies au chlore. Les fabricants locaux, en conséquence, ont désormais recours à des méthodes permettant de blanchir les couches

de papier sans utiliser le chlore. Toutefois, leurs produits ne sont plus d'un blanc éclatant. En octobre, des filtres à café non blanchis au chlore ont été lancés dans le commerce à Stockholm : ils ont une teinte quelque peu grisâtre.

Au Danemark, ce sont les couches-culottes et les pointes en plastique pour bébés qui ont été récemment clouées au pilori par les associations de consommateurs, parce que ces produits sont adoucis et assouplis avec du DEHP, substance cancérigène inscrite par les autorités sur la liste officielle des produits dangereux.

Toutefois, certains experts contestent ces analyses, estimant que les études qui ont été faites sur des rats en RFA au sujet du DEHP ne sont pas suffisamment sérieuses et convaincantes. **BARTHOLIN**

Le Monde 5.11.88

● **Akzo :** 32 % de bénéfice en plus. – Le groupe chimique néerlandais annonce pour le troisième trimestre un bénéfice net de 206,3 millions de florins, en progrès de 32 % par rapport à celui dégagé l'an dernier à pareille époque. Le chiffre d'affaires s'est accru de 6,7 % à 4,13 milliards de florins. Ces bons résultats sont à attribuer au développement du secteur des produits chimiques. L'entreprise prévoit une poursuite des bons résultats au quatrième trimestre de cette année. Akzo devrait ainsi améliorer son bénéfice net annuel, qui s'était élevé à 669 millions de florins en 1987.

● **Du Pont de Nemours.** – Après une relative stabilité pour le troisième trimestre, le bénéfice net du groupe chimique américain s'élève pour les neuf premiers mois à 1,7 milliard de dollars (+ 25 %) pour un chiffre d'affaires de 24,5 milliards de dollars (+ 9 %).

La privatisation de DSM retardée

Le Figaro 5.11.88

La privatisation de la société nationale néerlandaise DSM (chimie et énergie), prévue avant la fin 1988, commencera au plus tôt en janvier, a indiqué un porte-parole du ministère de l'Economie à La Haye. Ce retard est dû à l'encombrement du calendrier du Sénat qui doit encore voter le texte autorisant la vente au public de 33,33 % des actions de la société.

Devant la chambre, le ministre de l'Economie, Rudolf de Korte, a confirmé l'intention du gouvernement néerlandais de céder au secteur privé avant la fin de législature (mars 1990) un deuxième tiers de sa participation dans DSM.

La société a annoncé en août le meilleur résultat semestriel de son histoire avec un bénéfice net de 314 millions de florins. Pour l'ensemble de l'année, le bénéfice net devrait atteindre 520 millions de florins (environ 1,5 milliard de francs).

Document 6 – La multiplication de textes sur une même page génère une impression d'incohérence visuelle plutôt désagréable. Dans l'original, la médiocrité des photocopies accentuait encore le désagrément.

© Dunod – La photocopie non autorisée est un délit.

ARMÉE DE TERRE — **REGARDS** — ARMÉE DE TERRE

Jospin : les priorités de la sécurité

Le Républicain Lorrain

Délinquance des mineurs, création d'un Conseil de déontologie de la sécurité et coordination des moyens de police et de gendarmerie ont été, hier soir à Matignon, au menu de la première réunion du Conseil de sécurité intérieure.

PARIS. — Annoncé le 25 octobre à Villepinte par Lionel Jospin au nom de « **l'égalité des citoyens devant le droit à la sécurité** », ce Conseil présidé par le Premier ministre et composé des ministres de la Justice, de la Défense, de l'Intérieur, et de l'Economie et des Finances a pour vocation de définir les « **orientations générales de la politique de sécurité du gouvernement** ». Il est prévu qu'il se réunisse tous les deux mois et peut être élargi le cas échéant à d'autres ministres.

Hier, les ministres concernés ont approuvé un projet de loi créant un « **Conseil de la déontologie de la sécurité** ». Le texte sera présenté en Conseil des ministres en décembre, pour un examen par le parlement au début de l'année prochaine.

Cette « **autorité administrative indépendante** », présentée par l'entourage de M. Jospin comme une « **chambre de recours des citoyens** », sera chargée de « **veiller à la déontologie de l'ensemble des services de sécurité : police, gendarmerie, douanes, polices municipales mais aussi les sociétés de gardiennage** ». Elle sera composée de six membres : le président nommé par le président de la République, un député nommé par le président de l'Assemblée nationale, un sénateur nommé par le président du Sénat, ainsi qu'un conseiller d'Etat, un conseiller à la Cour de cassation et un conseiller à la Cour des comptes.

Délinquance des mineurs

Le Conseil de sécurité intérieure a en outre donné son aval à la constitution d'une mission interministérielle sur la délinquance des mineurs. Composée de deux parlementaires dont les noms seront connus aujourd'hui, elle devra remettre ses conclusions le 31 mars prochain.

Le gouvernement souhaite, selon l'entourage de M. Jospin, que les dispositions législatives nécessaires adaptant notamment l'ordonnance de 1945 puissent être examinées par le Parlement avant la fin du mois de juin.

La question des relations entre la police et la gendarmerie a été abordée à la fois sous l'angle de la répartition géographique des moyens, de la coopération en matière d'équipements et de la répartition des attributions.

Le Conseil a évoqué la politique de la ville et la relance des « **conseils communaux et départementaux de la délinquance** », qui seront désormais appelés « **conseils de la citoyenneté et de la sécurité** ».

Une déontologie de la sécurité.

TGV contre camion au passage à niveau

Le Républicain Lorrain

Six passagers ont été légèrement blessés lors d'une collision entre un TGV Brest-Paris et un poids lourd, hier vers 18 heures, à un passage à niveau sur la commune de Neau, près de Laval (Mayenne).

LAVAL. – Quelque 80 personnes ont été plus ou moins commotionnées ; seuls six passagers ont dû être hospitalisés.

Le chauffeur du poids lourd, de même que l'agent de conduite du TGV, fortement choqués, sont sortis indemnes de l'accident dont les circonstances n'étaient pas encore clairement établies hier soir.

La semi-remorque, qui transportait de la chaux, est restée bloquée au passage à niveau automatique 145 à Neau, à une vingtaine de kilomètres au nord-est de Laval, a indiqué la gendarmerie.

Lors du choc, « **le TGV qui roulait à 140 km/h n'a pas déraillé mais deux roues de la deuxième voiture sont sorties du rail sans autre conséquence** », a précisé la SNCF ajoutant que dans l'accident des caténaires avaient été arrachées et des voies endommagées.

selon la SNCF, une dizaine d'heures au moins étaient nécessaires pour rétablir la circulation entre Le Mans et Laval, totalement interrompue à la suite de l'accident.

« **Le chauffeur de la semi-remorque s'est extrait du camion dès qu'il a vu qu'il ne pouvait rien faire** », a souligné Annick Dutertre, patronne du bar-restaurant « Le Sporting » situé à quelques mètres du lieu de la collision.

« **Heureusement, c'était jour de fermeture car des débris du camion ont été projetés dans ma salle et ont brisé des vitres** », a-t-elle ajouté.

L'accident a entraîné, hier soir, des retards d'environ 2 heures sur les trains dont les TGV Rennes-Paris, dans les deux sens. La SNCF a précisé que les liaisons Bretagne-Paris-Bretagne étaient détournées par Angers et Nantes.

Les passagers, qui se trouvaient toujours à bord du TGV deux heures après son immobilisation, ont finalement été acheminés par autocars jusqu'au Mans pour être conduits vers Paris en TGV. Peu après 20 H 30, « **tous les voyageurs avaient été pris en charge** », a affirmé la SNCF.

D'importants moyens de secours avaient été dépêchés sur les lieux de l'accident et la D 140 passant par Neau a été coupée dans les deux sens à tous les véhicules.

L'or rouge du Beaujolais

L'EST RÉPUBLICAIN

A 0 h 00, ce matin, le vin nouveau a fait son apparition sur tous les comptoirs. Depuis trente ans, le roi des primeurs arrose la planète. Un prodige du marketing...

Belle robe, joli fruit, arôme de framboise. Plus voluptueux, rond, souple, charnu, long en bouche... Il est nouveau donc meilleur. Comme d'habitude. C'est le miracle du beaujolais, il est bon tous les ans.

Commercialisé le troisième jeudi de novembre pour éviter qu'une date fixe sur le calendrier ne tombe un dimanche (c'est arrivé et l'expérience fut fâcheuse pour le commerce), le beaujolais nouveau est magique : depuis trente ans, il provoque le même tintamarre à l'échelle universelle.

Le même jour, à la même heure, 192 pays débouchent les premières bouteilles. Enfin presque. Avec le jeu des décalages horaires, certains ont le privilège de goûter le breuvage un peu avant les autres. Les heureux habitants des îles Fidji ont levé le coude vingt-quatre heures avant nous, pauvres Hexagonaux. Un événement filmé par CNN, parfaitement.

Car s'il est de bon ton chez les gastronomes et œnologues de bouder le beaujolais, le consommateur ne boude pas son plaisir. Pour preuve : 55 millions de bouteilles seront encore commercialisées cette année. La moitié est restée en France, l'autre a été exportée. Près de 1.500 tonnes ont été acheminées dans les soutes des différents vols de la compagnie Air France qui a ajouté Montevideo ou Lagos à ses destinations classiques.

Parfois acide parce que prématuré, plus accessible et plus facile à aborder pour le profane, le beaujolais est un phénomène qu'il serait sot de nier. Le premier jus de l'année est un vin de plaisir et de comptoir. C'est tout et c'est déjà beaucoup.

P. B.

La presse médicale accusée de manipulation

Libération

Le syndicat de médecins généralistes MG-France réclame la création d'une commission d'enquête parlementaire sur la presse médicale, en l'accusant d'être à l'origine d'une *«vaste entreprise de manipulation»* à l'égard du corps médical. Dénonçant les liens financiers de ces périodiques avec l'industrie pharmaceutique, MG-France estime que la presse médicale est *«uniquement destinée au conditionnement idéologique des médecins libéraux»*, alors que son *«intérêt scientifique»* est jugé *«faible»* par les médecins. Distribués à 90% des médecins généralistes, les cinq périodiques de cette *«presse gratuite mais prospère»* ont perçu, en 1996, *«plus de 600 millions de francs de recettes publicitaires intégralement issues de firmes pharmaceutiques, soit une somme dépassant 10000 francs par médecin et par an»*, poursuit MG-France dans un communiqué. A quoi s'ajouterait une somme de 250 millions de francs environ pour les publireportages. Pour MG-France, il s'agit d'une *«presse hors la loi»*, car la publicité rédactionnelle est souvent *«non signalée»* et le *«volume publicitaire est très largement supérieur au pourcentage autorisé»*.

La montée de la violence urbaine

Villes : les émeutes dont on ne parle pas

Les grèves ou manifestations de protestation se multiplient, chauffeurs de bus, taxis, enseignants. La jeunesse des délinquants inquiète policiers et juges.

Les violences urbaines se succèdent quotidiennement en France. Ainsi, ces derniers jours, outre des grèves de protestation dans les transports publics de l'agglomération lilloise et à Dunkerque, des émeutes ont eu lieu, notamment à La Seyne-sur-Mer (Var). A Nantes (Loire-Atlantique), les taxis ont manifesté mardi après le meurtre de l'un d'entre eux.

● **A Lille, l'arrestation d'un jeune voleur, mardi, a donné lieu en soirée, dans les quartiers sud, à des opérations commando au cours desquelles des équipements collectifs et des automobiles ont été incendiés.**

● **Un chauffeur de bus de la ville témoigne** : *« Quand je quitte mon domicile, je ne sais pas si ma femme ne devra pas venir me chercher le soir à l'hôpital. »* Les individus refusent de payer leur titre de transport.

● **Cette montée générale de la violence** s'accompagne d'un rajeunissement des mineurs délinquants. Les tribunaux de Paris et d'Ile-de-France ont multiplié par quatre le nombre des condamnations de mineurs à la prison ferme.

● **L'agressivité des mineurs est un défi devant** lequel la police et la justice sont actuellement dépassées.

● **Lors d'un colloque** organisé à Osmoy (Cher), les policiers ont tenté de s'interroger sur leurs rapports avec ces adolescents difficiles.

● **Les forces de l'ordre ont admis**, à cette occasion, être *« souvent démunies face à ces jeunes fauteurs de trouble, qui s'expriment par la violence »*.

Une voiture incendiée, spectacle courant en banlieue. (Photo O.Morin/AFP.)

LE FIGARO

BRETAGNE ▶ Taxe d'habitation

900 étudiants font fléchir les services fiscaux

Rennes — *Aujourd'hui*

Quelque 900 étudiants rennais qui dénonçaient leur assujettissement à la taxe d'habitation ont obtenu des services fiscaux d'Ille-et-Vilaine de bénéficier d'un recours gracieux ouvrant la voie à un dégrèvement *(nos précédentes éditions)*.

Les étudiants logés en résidence universitaire ont obtenu de pouvoir faire une demande gracieuse « qui leur permettra d'être dégrevés partiellement, voire totalement », a précisé Jean-Jacques Monin, chargé du contentieux à la direction des impôts d'Ille-et-Vilaine.

Les étudiants protestaient depuis plus d'une semaine contre leur assujettissement car « le logement en résidence universitaire exonère de la taxe d'habitation », selon Philippe Kerauffret, du syndicat étudiant Unef-ID. Une plaquette « l'Etudiant et son logement », éditée par le ministère de l'Economie et du Budget, stipule : « Vous ne payez pas la taxe d'habitation si vous occupez un logement dont vous n'avez pas l'usage privatif total. » Les étudiants vivant en cité universitaire sont pour cette raison exonérés de la taxe d'habitation mais ceux habitant en résidence universitaire doivent y être soumis, selon les services fiscaux, car les résidences, « plus confortables que les chambres en cité, s'apparentent à des logements classiques en HLM », selon Jean-Jacques Monin. Ce que contestaient les étudiants rennais imposables, qui estiment ne pas avoir « l'usage privatif total » de leur résidence, car soumis au même règlement intérieur que dans les cités universitaires.

Pour l'Unef-ID, le compromis trouvé avec les services fiscaux « règle le problème pour 1997. Mais, à long terme, il faut un acte législatif qui précise bien que les étudiants en logement universitaire n'ont pas à payer la taxe d'habitation ».

Mouillot sera entendu dans l'affaire Piat

Le président de la cour d'assises du Var va entendre l'ancien maire de Cannes, Michel Mouillot, dans le cadre de la recherche du complément d'information qu'il mène dans l'affaire Yann Piat depuis le début du mois de novembre. Sous le coup de trois mises en examen, l'ancien maire UDF de Cannes a passé quinze mois en détention provisoire. Remis en liberté et placé sous contrôle judiciaire en octobre, il a fait état depuis sa sortie de prison de lettres que Yann Piat lui avait écrites et qui, selon lui, auraient disparu. Le magistrat avait entendu il y a une quinzaine de jours Jean Girerd, l'expert en informatique chargé de fouiller dans l'ordinateur utilisé par Fernand Saincené.

Libération

ENVIRONNEMENT

▶ Le premier bus fonctionnant au gaz naturel a été mis en service à Strasbourg. Ce gaz ne produit ni oxyde de soufre ni plomb ni poussières et très peu d'oxyde d'azote. C'est aussi l'hydrocarbure qui dégage le moins de monoxyde de carbone. L'opération a coûté 2,5 millions de francs (1,5 MF pour l'achat du bus et 1 MF pour la station de compression). La Compagnie des transports strasbourgeois envisage d'en commander une quinzaine afin d'équiper une ligne complète.

Aujourd'hui

ENFANCE

▶ La deuxième Journée des droits de l'enfant va être marquée aujourd'hui par de multiples manifestations dans toute la France. Cette journée commémore l'adoption par l'ONU, le 20 novembre 1989, de la Convention nationale des droits de l'enfant. En France, les derniers chiffres sont inquiétants car ils font état de 74 000 enfants maltraités l'an dernier (mauvais traitements physiques et psychologiques, abus sexuels, conditions de vie mettant en danger la sécurité ou la santé de l'enfant).

Aujourd'hui

35 heures : premières pénalités dès le début 98

Un projet de loi sera présenté au Conseil des ministres du 10 décembre.

Le projet de loi sur les 35 heures, annoncé par Lionel Jospin et Martine Aubry, qui sera soumis au Conseil des ministres du 10 décembre, commence à prendre tournure.

● Il s'agit d'un projet d'*« orientation et d'incitation »*, censé *« lancer le processus des négociations dans les entreprises »* avant l'établissement d'un deuxième projet, fin 1999, pour préciser le passage aux 35 heures au 1er janvier 2000 pour les entreprises de plus de 10 salariés et en 2002 pour les autres.

● **Selon ce texte, dès le** vote de la loi, début 1998, la flexibilité liée aux heures supplémentaires et au temps partiel serait financièrement pénalisée, les règles actuelles étant durcies.

● **Les dispositions envisagées** justifient la crainte des entreprises de voir le coût du travail flamber, malgré les aides financières prévues.

LE FIGARO

Des fissures dans l'enceinte de la centrale nucléaire de Flamanville

UN PROBLEME d'étanchéité a été constaté sur la partie interne de la double enceinte de confinement du réacteur numéro un de la centrale nucléaire de Flamanville (Manche), a annoncé, mardi 18 novembre, la direction de la sûreté des installations nucléaires (DSIN). Cette tranche, actuellement à l'arrêt, subit sa visite de contrôle décennale. Le défaut est apparu lors d'une mise en pression du bâtiment réacteur. Ce test a fait apparaître un taux de fuite presque deux fois plus élevé que la norme (1,95 % par jour, au lieu de 1 %). L'incident, qui n'a entraîné aucun dégagement radioactif, a été classé au niveau un de l'échelle internationale des événements nucléaires (INES), qui en compte sept.

La fuite semble due à une fissuration du béton. Selon EDF, le système d'aspiration situé entre les deux dômes de la double enceinte permettrait d'éviter toute fuite vers l'extérieur en cas d'accident. La DSIN a néanmoins suspendu l'autorisation de redémarrage et demandé des études de sûreté et un planning des travaux envisagés.

Le Monde

Lille et Dunkerque témoignent

La peur, de plus en plus

Document 7 – Le pastiche du journal est – presque – réussi, mais est-ce vraiment la vocation d'une revue de presse ?

Des lieux stratégiques pour donner une forme attrayante, efficace et valorisante à la revue de presse

La reliure
pratique
« élégante »
adaptée à la périodicité

Le choix d'un titre
« minimal » ou recherche de l'originalité ?
l'inscription dans l'encadrement visuel de l'entreprise

L'architecture de la couverture
au service de l'identité du support
donne envie de lire
un lieu d'information
ajouter une page de garde ?

Un trio inséparable : le sommaire, les rubriques, la pagination
favoriser la rapidité d'utilisation
la mise en valeur des informations importantes
une information précise sur les contenus

La logique de la typographie
la cohérence
la mesure
le respect de la lisibilité

Savoir utiliser le cadre de la page
la lisibilité, encore
l'intérêt d'un cadre normé
une photocopie par page/un remplissage maximum ?

Chapitre 7
La revue de presse électronique

Le nombre de médias – généralistes ou spécialisés – ouvrant des sites sur Internet[1] et d'entreprises ou d'administrations disposant d'un Intranet va croissant. Il ne s'agit pas d'une mode, mais bien d'un mouvement de fond. Les conditions du recueil des informations et de leur exploitation s'en trouvent grandement modifiées. Il en va de même pour l'exploitation des données. C'est pourquoi, avec le passage à une revue de presse électronique, la conception, la réalisation et l'utilisation de celle-ci sont susceptibles d'articuler encore plus fortement la documentation, le journalisme, la communication institutionnelle, mais aussi la veille stratégique ou l'information scientifique et technique (IST). D'où la nécessité de bien cadrer le projet éditorial afin de promouvoir une revue adaptée aux objectifs communicationnels de votre organisation (voir p. 41) et aux possibilités matérielles et technologiques de cette dernière.

À cet égard, le chapitre n'ambitionne pas de décrire par le menu le mode opératoire afin que tout un chacun puisse créer une revue de presse électronique. Sur le plan pratique, une telle création est du ressort d'une personne ayant des compétences éprouvées dans le champ de l'informatique et du multimédia. Si vous êtes dans ce cas, vous savez comment faire.

---

1. Si le Web ne vous est pas familier, sachez que les adresses des sites figurent dans vos journaux.

Dans le cas contraire, vous aurez à vous former[1] ou à travailler avec des experts. Les pages qui suivent vous aideront simplement à estimer si les *avantages* de ce nouveau support sont intéressants pour votre environnement ; elles vous donneront également des conseils pour collaborer avec un *prestataire*, que ce soit une société spécialisée ou un service intégré.

Les avantages du passage au numérique

Sans céder au discours ambiant – souvent fallacieux – sur les bienfaits supposés de la société de l'information à l'ère des nouvelles technologies, on peut néanmoins relever que passer d'une revue de presse « papier » à un produit numérisé procure des bénéfices, tant pour la *fabrication* que pour la *transmission* et l'*utilisation* ultérieure. Cependant, il ne faut pas oublier que cette rentabilité est surtout possible dans des entreprises ou des services dont le personnel, en nombre plutôt important, est équipé en terminaux et a l'habitude de s'en servir.

Fabrication

Sous l'aspect financier, dans une organisation qui n'a plus à investir massivement dans du matériel informatique, une revue électronique revient *moins cher* qu'une version classique : elle n'entraîne pas de frais d'impression, si ce n'est ceux des « sorties » papier effectuées par certains utilisateurs, sachant que, au fil du temps, ils acquerront vraisemblablement le réflexe d'exploiter le document à l'écran. Outre cette dimension économique, qui n'est pas négligeable comme on l'a vu dans

---

1. Pour ce faire, les service de formation continue des universités seront à même de vous renseigner. Par ailleurs, si vous avez déjà des bases, vous pouvez tirer profit de manuels comme celui d'Henry Samier et Victor Sandoval, *La Recherche intelligente sur l'Internet et l'Intranet. Outils et méthodes*, Paris, Hermès, 1999.

les enquêtes, ce sont les modalités de fabrication qui sont profondément renouvelées.

Pour la personne chargée de la réalisation du produit, la technologie permet une gestion *plus automatisée*. Cela s'applique au recueil d'informations qui, fondé sur des critères, mène à la confection d'un produit *plus pointu* : les moteurs de recherche autorisent un ciblage très fin des sujets, que ce soient ceux qui concernent l'image de l'entreprise ou celle des concurrents, que ce soient encore des dossiers techniques. Il faut savoir qu'actuellement, on distingue deux grands types de moteurs de recherche. D'une part, les moteurs qui fonctionnent en « texte intégral » (*full text*) : offrant beaucoup de souplesse, ils permettent d'indexer tout ou partie d'un texte (de l'extrait d'une phrase au paragraphe). D'autre part, les moteurs documentaires fonctionnant sur base de données : ils reposent sur le seul usage de descripteurs sous forme de mots clés ; l'avantage réside alors dans la rapidité d'exécution. Bien entendu, le rendement est assuré si l'on a constitué un thésaurus adapté à la situation de travail. À noter que des systèmes perfectionnés existent pour sélectionner des documents audiovisuels ou pour exploiter des images fixes. En outre, on peut transférer les données sélectionnées dans la revue finale et, grâce à des programmes informatiques, elles trouvent place dans un cadre de présentation généré lui aussi automatiquement.

Enfin, toujours grâce à la technologie, la revue de presse a vocation à être beaucoup *plus complète*, au sens où il devient possible de combiner dans une même édition différents textes (articles, dépêches d'agence, littérature « grise », etc.), des images fixes ou animées, ou du son ; il est encore loisible de proposer des téléchargements de fichiers, des renvois vers des adresses Web sur lesquelles il suffit de cliquer… Bref, dans ces cas, on a affaire à une revue effectivement multimédia.

Transmission et utilisation

La transmission est évidemment *plus rapide* grâce à l'acheminement par une messagerie interne. Ce procédé favorise un trai-

© Dunod – La photocopie non autorisée est un délit.

tement de l'information en temps réel, ce qui est appréciable dans des situations particulières, comme les périodes dites de crise : si ordinairement des documents sont expédiés à des heures programmées, des « alertes » peuvent être diffusées à un ou plusieurs utilisateurs, dès que la situation l'exige. Dans le jargon professionnel, une alerte est ni plus ni moins que le signalement de la sortie d'une information correspondant au champ d'intérêt défini avec une société prestataire ou le service de veille. Généralement, ce message contient un bref résumé du contenu et des éléments d'identification du support (journal télévisé de la chaîne X ou Y, horaire, etc.).

Le recours à l'Intranet stimule une *plus grande interactivité* : par exemple, dans le cadre de l'évaluation du produit, il est facile d'intégrer un questionnaire et de renvoyer une synthèse des réponses. Dans le même ordre de préoccupation, il est aisé de mettre en circulation une revue *plus personnalisée*. Sur la base d'une étude préalable et d'un paramétrage de la sélection des informations, on peut confectionner une revue adaptée à chaque utilisateur. Il est également possible de créer des options pour aider ce dernier à piloter sa recherche dans le stock d'informations. Avec un bon système d'indexation, la revue de presse devient alors un véritable fonds documentaire qui autorise des investigations rapides par sujet, mais aussi par support, par journaliste, par date, etc. Il est clair que ces entrées sont combinables à la demande. On comprend la dimension *plus productive et stratégique* d'un tel équipement, puisqu'il permet aisément de mener des études (d'image, de presse, …) grâce à des logiciels intégrant des acquis méthodologiques des sciences sociales (statistiques, lexicométrie, sémiologie, socio-linguistique).

En tout état de cause, la mise sur le réseau de la revue de presse donne l'occasion de réfléchir à une nouvelle organisation de la communication interne et externe (circulation rapide des informations, décloisonnement, échange d'informations…) et à ses modes de prise en charge.

Collaborer avec un prestataire

Récapitulons les principales tâches à accomplir pour créer une revue de presse électronique : récupérer des documents sur Internet ; dépouiller des supports classiques, ce qui suppose de les numériser, de les découper électroniquement, de les intégrer à un cadre formel (mise en page, sommaire, indexation…) ; diffuser la revue par messagerie ; gérer la documentation et générer des dossiers thématiques. Vaste programme. Soit vous êtes capable de faire tout cela, soit vous avez la faculté de sous-traiter en interne. Si cette solution n'existe pas, vous pouvez vous adresser à des *sociétés spécialisées* ou consulter des *sites contenant des revues de presse*. Encore faut-il s'y retrouver et savoir à quoi ils peuvent servir. En outre, pour bien fonctionner, en particulier pour que les flux d'informations soit bien gérés, une éventuelle collaboration nécessite les compétences d'un « administrateur » de la revue de presse. Telle sera peut-être votre fonction. Afin de vous aider, un encadré vous rappellera les principales *questions* à poser lorsque l'on a le projet de *créer une revue de presse électronique*.

Les sociétés et les sites spécialisés

Chacun sait que les services se trouvant sur le Web sont en émergence ou en mutation rapide. Il n'est donc pas envisageable de dresser un inventaire exhaustif des ressources existant pour créer ou alimenter une « cyber » revue de presse. Il est également hors de propos de recommander le choix de prestataires : ceux qui sont mentionnés le sont parce que, dans le milieu professionnel, ils sont considérés comme des pionniers ou des références (parfois critiqués, parce que certains estiment qu'ils pillent l'information des autres sites). En somme, notre propos consiste simplement à vous indiquer les grandes tendances de l'offre. Elles sont au nombre de trois.

Des agences de communication ou d'ingénierie informatique sont spécialisées dans la recherche, le traitement, la diffusion et la mise au point de systèmes d'exploitation de

© Dunod – La photocopie non autorisée est un délit.

l'information multimédia (Presse + : www.presseplus.com ; VRC Technologies : www.vrc-technologies.fr ; Dip Systèmes : www.dip-systems.fr…). Sur la base d'un *projet négocié avec votre entreprise* et moyennant finance (la majorité des clients sont de grandes entreprises ou des administrations), elles livrent des *revues clés en main* à partir de sources très diversifiées (agences de presse, presse, radio, télé, bases de données, Web, etc.). Les réseaux Internet ou Intranet sont évidemment leurs supports de prédilection. Cependant, pour tenir compte du stade d'évolution technologique de leur clientèle, plusieurs de ces sociétés utilisent le réseau fax Numéris qui permet une bonne qualité de reproduction des documents par l'entreprise. Et c'est bien elle qui est au centre du dispositif communicationnel. Les dispositifs suivants sont de nature différente, dans la mesure où c'est un rapport plus individualisé qui est privilégié par les promoteurs de sites dédiés à des revues de presse.

En effet, vous pouvez exploiter le *site d'une revue de presse intégré à un site d'actualité*, généralement thématique. Un bon exemple est constitué par le site www.journaldunet.com/, qui, comme son nom l'indique, est consacré à l'actualité du réseau. Il est représentatif de la communication actuelle sur le Web, parce qu'il recense des articles mis en ligne et que l'utilisateur n'a plus qu'à cliquer pour accéder au site correspondant et à l'article. Au fond, ce système fonctionne sur le principe du « poteau indicateur ». Les sites de ce genre peuvent évidemment servir à vous informer et, le cas échéant, à enrichir votre propre revue de presse. Atout de taille, l'accès est souvent gratuit.

Un pas de plus a été fait récemment dans le sens de l'individualisation par plusieurs sociétés qui proposent des *sites d'informations personnalisées* (www.dernieres.com ; www.lesinfos.com ; www.net2one.fr ; www.pagepresse.com ; www.planetepresse.com ; www.pressindex.com ; www.viapresse.com …). Elles permettent à l'utilisateur de faire le tri dans la masse considérable des informations disponibles sur le Web. Ces sites opèrent d'abord une présélection sur la base de leurs propres moteurs de recherche, puis elles offrent la possibilité à l'utilisateur de disposer des données qui lui conviennent en lui demandant de fournir des mots clés. Les données rassemblées, constituant au final une sorte de revue de presse, sont exploitables sur le site ou expédiées par e-mail (sur des ordinateurs et parfois sur des téléphones mobiles, des organiseurs ou des *pagers*). Bref, ces prestataires jouent le rôle d'intermédiaire. Notez encore que certaines de ces sociétés semblent transformer leur activité : à partir de l'offre de revues de presse, elles s'orientent vers le conseil élaboré sur la base d'informations provenant de fournisseurs de contenus qui payent pour être référencés. Et le service a naturellement tendance à devenir payant...

À vous d'aller voir de plus près ces sites (et d'autres) pour avoir une représentation de ce que peut être une revue de presse électronique, mais aussi pour décider si certains prestataires peuvent, ou non, constituer un appui à la réalisation de votre projet.

© Dunod – La photocopie non autorisée est un délit.

Des questions à se poser pour passer à une revue numérique

Est-ce vraiment une bonne idée ?
faire une étude de besoins et de faisabilité
consulter plusieurs sociétés
si les ressources sont internes, s'assurer d'une collaboration
dans la durée

Quels sont les points à ne pas oublier dans la phase de conception ?
définition d'un cahier des charges
adaptation effective aux objectifs définis par le projet éditorial
se renseigner sur les types de moteurs de recherche et d'indexation
(texte intégral, bases de données
ou moteurs documentaires
standards)
application dans le cadre de systèmes informatiques standards
(Word, Acrobat, etc.)
possibilités de liens entre les informations afin de poursuivre
une recherche
respect de la charte graphique en vigueur dans l'organisation

➡

➡

**De quels aspects tenir compte du point de vue de l'usager
et du responsable ?**
qualité ergonomique, fondée sur la simplicité d'utilisation rapide
convivialité de l'interactivité
formation éventuelle des utilisateurs à ce nouvel outil
modalités d'accès aux documents stockés en archives (mots clés ou
autres entrées)
facilité d'évolution du dispositif, suite à une enquête de satisfaction
suivi du projet par un interlocuteur attitré
maintenance de l'équipement (la panne prolongée est l'ennemi
absolu du système)

Chapitre 8
Évaluer pour améliorer le service rendu

Vous souvenez-vous du constat que nous avons fait dans l'enquête au sujet de l'évaluation (p. 24) ? Du point de vue des réalisateurs, évaluer les usages de la revue de presse n'est pas une priorité pour l'immense majorité d'entre eux. Et quand ils évaluent, le plus souvent, c'est à l'aide de moyens très empiriques (bouche-à-oreille, envois d'articles par des lecteurs qui sont perçus comme des marques d'intérêt, demandes d'informations complémentaires qui fonctionnent comme des indicateurs d'une lecture attentive…). Or, pour peu que l'on soit convaincu de ce que peut apporter le produit réalisé, il est difficile de se satisfaire de ces moyens. Vous avez donc certainement à cœur d'aller plus loin pour améliorer le service rendu. Reste à découvrir quelles sont les *méthodes* et *techniques* à employer pour atteindre votre but. Et pour concrétiser le propos, nous vous proposerons aussi un *cas pratique*.

Méthodes et techniques

Sur la base des conseils prodigués dans l'ouvrage, une méthode consiste à repérer les points sur lesquels la qualité de votre revue de presse peut être accrue. C'est un travail assez aisé. Néanmoins, il présente une limite : en quelque sorte, vous êtes juge et partie. Autrement dit, vous ne soumettez pas réellement le produit à l'appréciation des utilisateurs. Cette dernière approche consomme plus de temps et d'énergie, mais elle a le mérite de favoriser une meilleure adaptation aux attentes de votre public ou à vos objectifs, quitte à entraîner une salutaire remise en cause de vos habitudes. Comment faire ?

Bien sûr, comme lors de la phase d'élaboration d'un projet éditorial, vous pouvez procéder par *entretien individuel* avec des dirigeants ou avec un *panel* de lecteurs. Dans ces conditions, vous récolterez vraisemblablement des compliments, quelques critiques, voire des suggestions (d'autant plus sûrement que vous vous serez doté d'un guide d'entretien inspiré par ce qui va suivre au sujet du questionnaire). Judicieuse dans une petite structure, cette façon de faire est plus discutable dans une organisation de plus d'ampleur. En effet, elle est fondée sur le recueil d'avis isolés à partir desquels grande sera la tentation de généraliser, avec les risques d'approximation que cela comporte. Mieux vaut alors opter pour un *questionnaire*, qui n'exclut cependant pas des entretiens. Pareille démarche ne revient pas à s'engager dans la fabrication de sondages comparables à ceux réalisés par des organismes spécialisés qui disposent de personnels et de moyens matériels importants. Plus simplement, il importe de mettre au point une grille d'évaluation facilement exploitable, tant par les répondants que par le responsable de la revue de presse. Il faut alors penser à bien *préparer* son enquête, à se doter de techniques adéquates pour *exploiter* les données et à ne pas oublier de *diffuser* les résultats.

Préparer l'enquête

Mener à bien une enquête nécessite la définition d'un *calendrier des opérations* précis et réaliste tenant compte des différentes étapes : préparation, circulation du questionnaire, exploitation, diffusion des résultats. Même avec un dispositif léger, l'expérience tend à prouver que l'analyse et la mise en forme des résultats prennent plus de temps qu'on ne l'imagine au départ. Cependant, n'installez pas un délai trop long entre la collecte des données et la restitution : celle-ci aurait un air de

« réchauffé », peu compatible avec les capacités de réactivité attendues d'un service d'information ou de communication.

Toujours pour tirer le plus de profit de votre travail, il est indispensable de clarifier au préalable les *objectifs poursuivis* via *l'enquête* : certes améliorer l'existant, mais plus précisément recueillir des suggestions, proposer des modifications, ou encore mieux connaître les usages faits de la revue de presse, etc. Le choix des objectifs a des répercussions sur le type de questions à poser. C'est pourquoi, dans cette phase préparatoire, il est recommandé de vous documenter. Pour vous aider à affiner vos objectifs et à construire le questionnaire, vous pouvez recourir au manuel que vous avez entre les mains et à des ouvrages méthodologiques[1] ; ils sont utiles, mais insuffisants : par souci de « coller » le plus possible au terrain, appuyez-vous sur des entretiens exploratoires (avec des utilisateurs intensifs et plus occasionnels, avec un commanditaire), procédez aussi à des comparaisons avec d'autres revues de presse qui vous feront peut-être penser à proposer des innovations dont il faudra vérifier la pertinence par rapport à votre lieu d'exercice.

Ayant une vue claire de ce que vous recherchez, vous êtes en mesure de *mettre en forme une première mouture du questionnaire*. Il s'agit là d'une phase déterminante. Faut-il préciser que vous devez éviter de produire un document compact et rébarbatif ? Soignez sa présentation ainsi que sa formulation : moins les lecteurs s'interrogeront sur le sens de telle ou telle de vos questions (qu'elles soient ouvertes, fermées, à choix multiples…), plus vous aurez de chance d'obtenir un maximum de réponses. Bien sûr, certaines questions ne posent pas de problème

---

1. Parmi les manuels de sciences sociales, vous pouvez recourir à : Claude Javeau, *L'Enquête par questionnaire. Manuel à l'usage du praticien*, Bruxelles, Presses de l'université de Bruxelles, 1990 ; François de Singly, *L'Enquête et ses méthodes : le questionnaire*, Paris, Nathan, 1992. Sur les enquêtes relatives à la presse : François Kermoal, *Mieux connaître ses lecteurs. Les méthodes d'analyse du lectorat et des supports*, Paris, La Découverte, 1994. Alain Blanchet, Rodolphe Ghiglione, Jean Massonnat et Alain Trognon, *Les Techniques d'enquête en sciences sociales*, Paris, Dunod, 1998.

© Dunod – La photocopie non autorisée est un délit.

particulier : il en va ainsi pour celles qui portent sur des faits et qui appellent des réponses objectives, (« Recevez-vous la revue de presse avant 10 h ? Oui/Non »). Le cas est différent pour des questions relatives à des comportements ou à des opinions : veillez notamment à ne pas induire des réponses favorisant des réponses conformes à une norme prévisible, ce qui, de fait, n'éclaire guère votre lanterne (« Estimez-vous que la revue de presse est utile à la connaissance de l'environnement de notre entreprise ? »). Faites encore attention à certains aspects techniques. Si vous soumettez des questions à choix multiples, efforcez-vous de ne pas trop limiter ceux-ci et ajoutez un item « Autre : … Précisez : … » ; au demeurant, il est parfois préférable de recourir à des questions ouvertes (« Quelles sont les publications que vous souhaiteriez voir intégrées à la revue de presse ? Pourquoi ? »), dont l'exploitation est un peu plus délicate, mais dont le rendement est souvent supérieur parce qu'elles sont susceptibles d'apporter une nouvelle vision de la situation. Le cas échéant, fournissez des *explications sur la manière de répondre*. Cela est très important dans les questionnaires auto-administrés. Par exemple, si une question comporte des choix multiples, mentionnez qu'il est possible de cocher plusieurs réponses. Si vous utilisez des échelles graphiques (avec des valeurs allant de 1 à 5), afin d'éviter toute confusion, indiquez celle qui signifie désaccord total (1) et celle qui marque l'approbation complète (5).

En outre, n'oubliez pas qu'il faut réussir à *intéresser le répondant jusqu'au bout du questionnaire*. Pour éviter l'abandon, donnez lui des clés d'intelligibilité, par exemple en indiquant les objectifs de l'enquête et en classant les questions suivant un ordre logique et explicite. Graduez aussi la difficulté (bien relative, il est vrai) : ainsi n'est-il pas adroit de commencer de but en blanc par demander des suggestions pour améliorer le document. Pour stimuler la réflexion du répondant, mieux vaut d'abord le replonger dans l'univers de la revue de presse grâce à des questions précises. Enfin, selon les contextes, vous déterminez si le questionnaire doit être anonyme ou non. En tout état de cause, mieux vaut disposer de renseignements sur le répondant (demandez-les plutôt à la fin du questionnaire). Ces renseignements sont très utiles dans la phase d'exploitation pour établir des corrélations en fonction de divers paramètres : poste, service, âge, sexe, etc.

Préparer un questionnaire requiert donc un minimum de savoir-faire. D'ailleurs, pour vous garantir contre une mauvaise surprise, vous avez tout intérêt à le *tester* auprès d'un groupe restreint de personnes (voir *supra* à propos des entretiens exploratoires) et à tirer de cette expérimentation les leçons des éventuelles incompréhensions. À cette occasion, vous vous rendrez peut-être également compte que votre questionnaire est trop long ou que les questions sont loin d'être toutes productives et vous en tirerez les conséquences. Une fois ces préparatifs achevés, il ne vous reste plus qu'à *faire passer le questionnaire*. Le plus simple est de le joindre à un numéro de la revue de presse (le cas échéant, il peut être proposé sur le réseau électronique interne) en prenant soin de préciser les raisons pour lesquelles cette démarche est engagée. Pour augmenter le taux de participation à l'enquête, vous pouvez aussi *prévoir des messages de rappel* annexés à des numéros ultérieurs.

Exploiter les données et diffuser les résultats

Il va de soi que les *données* recueillies doivent être *compilées et analysées*. Plusieurs méthodes et techniques sont disponibles : analyse de discours, méthodes graphiques, méthodes statistiques, etc. Ce n'est évidemment pas la vocation du manuel de vous les présentez en détail. Pour cela, nous vous renvoyons aux ouvrages répertoriés dans la note de la page 111. En revanche, nous voudrions insister sur quelques aspects de la phase d'exploitation, puis de diffusion, afin de favoriser la *rigueur* du traitement, la *fiabilité* des résultats et l'*efficacité* de l'enquête en vue d'améliorer la revue de presse.

Ne perdez pas de temps : dès la date limite de collecte passée, engagez-vous dans la phase d'exploitation, même s'il vous manque quelques questionnaires. Outre la qualité des résultats de l'enquête, le respect des délais annoncés contribue au succès de votre action.

© Dunod – La photocopie non autorisée est un délit.

Séparez nettement les étapes : commencez par *mettre à plat les informations* disponibles, pour en faire la synthèse la plus lisible possible. Suivant le nombre de répondants effectifs, vous procéderez par traitement manuel ou par traitement informatique. On trouve maintenant sur le marché des logiciels d'emploi facile (Excel…) ; d'autres, plus performants, nécessitent un peu plus de technicité (Modalisa, Sphinx…). En cas de besoin, vous pouvez évidemment vous adjoindre l'aide de collègues d'un autre service, ayant l'habitude de manipuler ces programmes. Quantifiez, construisez des tableaux récapitulatifs ou sélectionnez les réponses les plus significatives. Cependant, ne rejetez pas systématiquement les réponses atypiques : elles vous mettront peut-être sur la piste, ou d'un aspect méconnu des enjeux de la revue de presse, ou d'une modification originale de ce support. Bref, synthétiser n'est pas niveler.

Evidemment, il vous revient d'*interpréter* les données recueillies. Mais il est très utile de le faire avec des collaborateurs. La diversité des regards enrichit toujours une analyse et favorise la remise en cause d'une pratique, si ce n'est d'une routine. Abordez donc le traitement des informations avec un esprit positif. Cela ne signifie pas se tresser une couronne de laurier, mais relever ce qui donne satisfaction aux lecteurs et prendre les critiques comme autant d'indicateurs pour perfectionner le produit. Du reste, dans les réponses à des questions ouvertes, des lecteurs vous auront peut-être livré quelques suggestions.

C'est dire que l'exploitation va jusqu'à la décision de *modifier telle ou telle caractéristique de la revue de presse.* Suivant l'ampleur de la modification, cette décision est prise plus ou moins rapidement. Ainsi, l'introduction d'un sommaire ne pose-t-elle guère de problème. À l'inverse, s'engager dans le dépouillement de la presse étrangère, avec l'impératif de sélectionner les journaux utiles, de trouver une personne ou des personnes ayant les capacités d'exploiter ceux-ci rapidement et de rédiger un petit résumé pour les lecteurs ne pratiquant pas la langue d'origine ne se décide vraisemblablement pas en quelques minutes. Plus globalement, la réorientation d'une revue de presse est susceptible de porter sur son contenu ou sa mise en forme, sur certains aspects du projet éditorial. Plus encore, c'est peut-être l'occasion de formaliser ce dernier.

L'important est évidemment de restituer l'information aux répondants. À cet égard, deux opérations distinctes sont à mener. L'une, intervenant le plus rapidement possible après la récolte des réponses, vise à communiquer à toutes les personnes concernées les *résultats, accompagnés de commentaires*. Ils peuvent être présentés dans un document annexé à la revue de presse. Il faut être particulièrement vigilant à la lisibilité graphique et rédactionnelle de ce compte rendu : les données chiffrées ou trop techniques ne sont pas toujours des plus passionnantes pour le lecteur, quand bien même est-il destinataire de la revue de presse.

L'autre opération consiste à *présenter les éventuelles modifications de la revue de presse* dérivant de l'enquête. Dans l'idéal, mieux vaudrait que cette présentation s'effectue en même temps que celle concernant les résultats. Cependant, comme on l'a vu, la transformation du produit peut impliquer un certain délai, mais une fois encore, faites le maximum pour ne pas tarder. De toute façon, vos lecteurs vous sauront gré de leur montrer en quoi vous tenez compte de leurs observations. Et ils seront d'autant plus disposés à répondre à une prochaine enquête sur la revue de presse ou sur un autre support de communication.

*E*n pratique

Si vous n'avez pas l'habitude de mener des enquêtes ou de bâtir des questionnaires, vous en trouverez ci-dessous un *exemple* et non un modèle. À chaque réalisateur de tenir compte des particularités de sa revue et de son lieu de travail. Pour vous aider, nous vous présentons les *principales questions à se poser pour évaluer* une revue de presse.

© Dunod – La photocopie non autorisée est un délit.

Un exemple d'enquête par questionnaire

La revue de presse quotidienne d'une université, destinée à ses principaux responsables en matière de pédagogie, de recherche et d'administration, a été rénovée. À l'issue d'une année de fonctionnement, la chargée de communication souhaite faire le point sur cette formule. Pour ce faire, elle a élaboré un questionnaire d'évaluation adressé à tous les destinataires de *Zoom*.

Zoom sur *Zoom*

Enquête sur la revue de presse

Madame, Monsieur,

Il y a un an vous receviez le premier numéro de *Zoom*, la nouvelle formule de notre revue de presse. En sachant ce que vous en pensez aujourd'hui, nous pourrons améliorer le produit et vous rendre un meilleur service. À cette fin, nous vous demandons de remplir ce petit questionnaire et de le retourner au Service communication, avant le .... Vous recevrez un compte rendu des résultats dès que possible.

En vous remerciant de votre aimable collaboration, je vous prie d'agréer, Madame, Monsieur, l'expression de mes cordiales salutations.

H. M.
Chargée de la communication

1. Vos intérêts

- Ces rubriques vous intéressent (beaucoup, moyennement, faiblement, pas du tout)
  - Fait du jour
  - Université de X
  - Universités en régions
  - Vie universitaire
  - Politique universitaire
  - Publications
  - Décrets et arrêtés
  - Carnet
  - Divers
  - À la radio
  - À la télé

Précisez pourquoi certaines rubriques vous intéressent faiblement ou pas du tout ?

Quelle(s) rubrique(s) souhaiteriez-vous voir éventuellement créée(s) ?

- La sélection des articles est :
  - pertinente
  - parfois inadaptée
  - souvent inadaptée
  - Si la sélection est parfois ou souvent inadaptée, précisez les raisons :
  - Pourriez-vous en donner plusieurs exemples ?
- Faudrait-il intégrer plus de journaux à *Zoom* ?
  - Oui
  - Non
  - Si oui, lesquels ?
- Que pensez-vous de la place réservée à la presse étrangère ?
- Pour vous, *Zoom* est surtout (plusieurs réponses possibles) :
  - un moyen d'information sur la vie universitaire
  - un instrument de veille sur la place de l'université de X dans les médias
  - un indicateur sur votre secteur d'activité
  - un outil d'aide à la décision
  - autre (précisez)

2. La lisibilité

- La qualité de la reproduction des articles est-elle bonne, moyenne, mauvaise ?
- La mise en page est-elle bonne, moyenne, mauvaise ?

Quels seraient éventuellement les aspects à améliorer ?

3. Questions de temps

- À quelle heure *Zoom* vous parvient-il ?
  - Cela vous satisfait-il ?
  - Oui
  - Non

Si non, à quelle heure voudriez-vous disposer de *Zoom* ?

- La parution quotidienne correspond-elle à vos besoins ?
  - Oui
  - Non
  - Si non, quel rythme de parution souhaiteriez-vous ?
- Lisez-vous tous les numéros de Zoom ?
  - Oui
  - Non
  - Si non, pourquoi ?

En moyenne, combien de temps consacrez-vous à la lecture d'un exemplaire de *Zoom* ?

© Dunod – La photocopie non autorisée est un délit.

4. Et après ?

• Avez-vous déjà utilisé Intranet pour retrouver les sommaires de *Zoom* ?
  - Oui
  - Non
  - Préféreriez-vous que *Zoom* soit intégralement disponible sur le serveur ?
  - Oui
  - Non

Si oui, faudrait-il maintenir une version papier ?

• Avez-vous transmis des articles complémentaires au service de communication pour parution ?
  - Oui
  - Non

• Conservez-vous des articles ?
  - Souvent
  - Parfois
  - Jamais

Si oui, quels types d'articles ? pour quelles raisons ?

• Faites-vous circuler *Zoom* ?
  - Oui
  - Non

Si oui, auprès de qui ?

Comment (affichage, photocopie totale ou partielle, etc.) ?

• Connaissez-vous des personnes qui devraient recevoir *Zoom* régulièrement ?
  - Non
  - Oui
  - Si oui, qui ?

• Selon vous, quelle est la principale qualité de *Zoom* ?

Quel est son principal défaut ?

Nom :
Prénom :
Âge :
Fonction :
Ancienneté à l'université de X :
Responsabilités administrative :
Responsabilités pédagogiques :
Responsabilités en recherche :
Téléphone :
Fax :

Désirez-vous continuer à recevoir *Zoom* ?
  - Oui
  - Non

Des questions à se poser pour évaluer une revue de presse

Quelles méthodes et techniques choisir ?
entretiens individuels
entretiens avec un panel de lecteurs
questionnaire auto-administré
autres

Comment préparer l'enquête ?
prévoir un calendrier
analyse d'un corpus d'exemplaires
comparaison avec d'autres revues de presse
entretiens exploratoires
fixer les objectifs

Comment rédiger et présenter un questionnaire ?
varier les types de questions
donner des explications sur la démarche
ou sur les manières de répondre
favoriser les possibilités de corrélations
classer les questions
tester et ajuster le questionnaire

**Quelles sont les conditions à réunir pour obtenir le maximum
de réponses ?**
questionnaire joint à un exemplaire de la revue de presse
écrire une courte lettre d'accompagnement
s'engager à communiquer les résultats
quelques messages de rappel

**Quels sont les moyens pour exploiter les réponses et diffuser
les résultats efficacement ?**
exploitation manuelle ou informatique
ne pas niveler les résultats
interpréter les résultats à plusieurs
tenir compte positivement des critiques pour améliorer le produit
fournir rapidement un compte rendu
donner des chiffres et des commentaires en veillant à leur lisibilité
présenter les changements opérés grâce à l'enquête

Bibliographie

BAZIN Jean-François, *La Revue de presse. L'expression au service de l'homme*, Paris, Ed. Chotard, 1971.

CLAQUIN Françoise, « La revue de presse : un art du montage », *Langage et Société*, n° 64, juin 1993, p. 43-71.

DANLOY Paul, « La "revue de presse". Ouverture ou enfermement ? », *Communication et Langages*, n° 115, 1er trim. 1998, p. 102-114.

MEYER Vincent et WALTER Jacques, dir., *Les conceptions, réalisations et utilisations des revues de presse en Lorraine*, Centre de recherche sur les médias/IUP « Métiers de l'Information et de la Communication de Lorraine », Universités de Metz et Nancy 2, mai 1998.

WALTER Jacques, « La télémorphose du lecteur. Revue de presse, presse revue… et corrigée », p. 132-148, *in* : Jean-Pierre Esquenazi, dir., *La télévision et ses téléspectateurs*, Paris, Ed. L'Harmattan, 1995.

WALTER Jacques, dir., *Les revues de presse en Moselle*, Centre de recherche sur les médias/Département « Information et communication », Université de Metz, mai 1996.

WESTPHALEN Marie-Hélène, *La Communication externe de l'entreprise*, Paris, Dunod, 1997.

Liste des encadrés

044821 - (I) - (3) - OSB 100° - ALMA

Achevé d'imprimer sur les presses de la
SNEL S.A.
rue Saint-Vincent 12 – B-4020 Liège
tél. 32(0)4 344 65 60 - fax 32(0)4 343 77 50
septembre 2000 - 18181

Dépôt légal : octobre 2000